MANUAL DE EPICTETO

O livro é a porta que se abre para a realização do homem.

Jair Lot Vieira

MANUAL DE EPICTETO

A ARTE DE VIVER MELHOR

EDIÇÃO BILÍNGUE
GREGO-PORTUGUÊS

Tradução, introdução e notas
EDSON BINI
Estudou filosofia na Faculdade de Filosofia,
Letras e Ciências Humanas da USP.
É tradutor há mais de 40 anos.

Copyright da tradução e desta edição © 2021 by Edipro Edições Profissionais Ltda.

Título original: ΕΠΙΚΤΗΤΟΥ ΕΓΧΕΙΡΙΔΙΟΝ. Traduzido a partir do texto grego estabelecido por Schweighäuser, edição de 1798.

Todos os direitos reservados. Nenhuma parte deste livro poderá ser reproduzida ou transmitida de qualquer forma ou por quaisquer meios, eletrônicos ou mecânicos, incluindo fotocópia, gravação ou qualquer sistema de armazenamento e recuperação de informações, sem permissão por escrito do editor.

Grafia conforme o novo Acordo Ortográfico da Língua Portuguesa.

1ª edição, 5ª reimpressão 2024.

Editores: Jair Lot Vieira e Maíra Lot Vieira Micales
Coordenação editorial: Fernanda Godoy Tarcinalli
Preparação de texto: Lygia Roncel
Revisão: Brendha Rodrigues Barreto
Diagramação: Karina Tenório
Arte da coleção: Mafagafo Studio
Ilustração e adaptação de capa: Marcela Badolatto | Studio Mandragora

Dados Internacionais de Catalogação na Publicação (CIP)
(Câmara Brasileira do Livro, SP, Brasil)

Epicteto.
  Manual de Epicteto : a arte de viver melhor / Epicteto ; tradução Edson Bini. - 1. ed. – São Paulo : Edipro, 2021.

  Título original: ΕΠΙΚΤΗΤΟΥ ΕΓΧΕΙΡΙΔΙΟΝ.
  ISBN 978-65-5660-033-8 (impresso)
  ISBN 978-65-5660-034-5 (e-pub)

  1. Ética 2. Filosofia 3. Filosofia grega antiga I. Título.

20-50046   CDD-180

Índice para catálogo sistemático:
1. Filosofia grega antiga : 180

Maria Alice Ferreira – Bibliotecária – CRB-8/7964

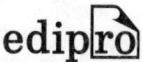

São Paulo: (11) 3107-7050 • Bauru: (14) 3234-4121
www.edipro.com.br • edipro@edipro.com.br
@editoraedipro   @editoraedipro

SUMÁRIO

Nota do tradutor   7

Introdução   9

MANUAL DE EPICTETO   13

Epicteto: breves traços biográficos   95

NOTA DO TRADUTOR

O *Manual de Epicteto* provém, como tantas obras filosóficas no grego antigo, de múltiplos manuscritos.

Um grande número de helenistas ilustres se empenharam no estabelecimento do texto e em sua tradução, as mais memoráveis sendo as de A. Berkelius (edição bilíngue grego/latim), de 1683, e aquela de Schweighäuser, de 1798. Também merece menção especial o texto de Upton, de 1741. Devemos igualmente citar a edição de 1535 de Trincavelli.

A isso se somam as paráfrases cristãs e o trabalho monumental de Simplício. A partir do século XIX, as traduções para as línguas modernas ocidentais desse pequeno grande livro se multiplicaram.

O texto que nos serviu de base para esta tradução (impresso à esquerda nesta edição bilíngue) é o de Schweighäuser (edição de 1798), com algumas poucas variações e alterações.

As notas de rodapé, que devem ser consideradas apêndices da tradução, visam a destacar certos conceitos importantes, bem como elucidar determinadas questões ou aspectos linguísticos. Algumas notas têm caráter simplesmente informativo.

INTRODUÇÃO

O *Manual* (de Epicteto), em grego τὸ ἐγχειρίδιον (*tò egkheirídion*), literalmente "aquilo que se tem na mão", sugerindo nessa acepção algo que está facilmente ao nosso alcance, *algo de fácil acesso, algo para pronto uso*, na verdade não foi escrito por Epicteto, mas por seu zeloso discípulo Flávio Arriano, que após colher as lições do mestre o compôs. É uma síntese de uma obra muito maior, redigida pelo próprio Arriano em oito Livros, dos quais, a propósito, só chegaram a nós quatro.

Epicteto, tal como Sócrates, nada escreveu. Presume-se que, como o velho mestre de Platão, pensava que todo o seu tempo disponível devia ser empregado em *colóquios filosóficos* (διατριβαί [*diatribaí*]) com os discípulos, não sobrando tempo para a redação e o registro de suas doutrinas.

É sempre oportuno lembrar que Sócrates, além de agir dessa maneira, jamais fundou uma escola nos moldes de Isócrates, Platão, Aristóteles, Epicuro e mesmo dos primeiros estoicos. Seus ensinamentos eram regularmente ministrados na *ágora*, um vasto espaço público, ou nas residências de seus discípulos e/ou amigos, ou até nos espaços reservados aos sofistas, do que é flagrante exemplo a residência de Cálias, o rico ateniense que dava calorosa acolhida aos sofistas.

O resultado, infelizmente inevitável, é não sabermos ao certo o que pensavam exatamente esses homens, e termos que nos conformar com o testemunho de seus discípulos diretos.

O *Manual* é uma amostra primorosa e impecável de condensação e forma sucinta de exposição filosófica. Seu teor é eminentemente ético dentro da tradição do estoicismo e o seu estilo, aquele de um mestre dirigindo suas orientações a um discípulo. A preocupação fundamental de Epicteto, segundo Arriano, é a conduta humana, o comportamento do ser humano em sociedade, o qual deve alinhar e combinar a prática incessante de *virtudes* (ἀρεταί [*aretaí*]) como a tolerância, a benevolência, a discrição, a resignação, a simplicidade, a justiça, a moderação e a coragem, numa postura inabalável de completa *indiferença* (ἀπάθεια [*apátheia*]) e desprezo pelas coisas e interesses mundanos, o que possibilita uma comunhão harmoniosa com a natureza e uma aceitação tranquila de tudo o que ocorre e que nos atinge, além de um relacionamento amistoso, ainda que desafiador, com nossos semelhantes; isso conquistado, alcança-se uma forma de felicidade. Esse paradigma estoico de *conduta/prática* (πρᾶξις [*prâxis*]) está necessariamente vinculado ao cultivo da filosofia, distinguindo visceralmente o filósofo do *indivíduo vulgar* (ἰδιώτης [*idiótes*]).

A ação virtuosa não só exclui a viciosa como está (da mesma forma que esta última) no âmbito de nossa liberdade, ou melhor, de nossa *vontade, prévia escolha* (προαίρεσις [*proaíresis*]). É no exercício contínuo da conduta virtuosa que nos aprimoramos, até porque (conforme indica logo de início, categoricamente, o *capítulo 1* do *Manual*) coisas como riquezas, prestígio e obtenção de cargos públicos que constituem poder não estão subordinadas a nós, vale dizer, não estão no domínio de nossa liberdade e prévia escolha. Fica claro, portanto, que a busca desses bens mundanos não é apenas uma ação viciosa como também uma ação inteiramente inútil, pois sua consecução não depende de nós, de nossas escolhas e propriamente de nossos esforços.

Quanto aos diversos acontecimentos da vida – nem sempre favoráveis –, também não estão evidentemente subordinados a nós, mas são da competência da natureza e determinados pela Providência divina. Assim, só nos resta aceitá-los e, mediante nossa *faculdade condutora* (ἡγεμονικόν [*hegemonikón*]), a razão, extrair dos eventos desfavoráveis as melhores lições e o maior proveito.

O *Manual de Epicteto* teve grande repercussão nos círculos intelectuais do Império Romano e exerceu marcante influência no pensamento e na conduta do imperador estoico Marco Aurélio

(121-180 d.C.), que governou com determinação e sabedoria de 161 d.C. a 180 d.C.

E até hoje esse opúsculo nos aponta lições singelas e objetivas de como nos conduzirmos rumo ao nosso aprimoramento moral pessoal e, ao mesmo tempo, dispensarmos uma miríade de bens mundanos (a rigor desnecessários) e convivermos pacificamente com nossos semelhantes, mesmo que estes não se conduzam como nós.

Edson Bini

ΕΠΙΚΤΗΤΟΥ
ΕΓΧΕΙΡΙΔΙΟΝ

MANUAL DE
EPICTETO

1. Τῶν ὄντων τὰ μέν ἐστιν ἐφ' ἡμῖν, τὰ δὲ οὐκ ἐφ' ἡμῖν. ἐφ' ἡμῖν μὲν ὑπόληψις, ὁρμή, ὄρεξις, ἔκκλισις καὶ ἑνὶ λόγῳ ὅσα ἡμέτερα ἔργα· οὐκ ἐφ' ἡμῖν δὲ τὸ σῶμα, ἡ κτῆσις, δόξαι, ἀρχαὶ καὶ ἑνὶ λόγῳ ὅσα οὐχ ἡμέτερα ἔργα. καὶ τὰ μὲν ἐφ' ἡμῖν ἐστι φύσει ἐλεύθερα, ἀκώλυτα, ἀπαραπόδιστα, τὰ δὲ οὐκ ἐφ' ἡμῖν ἀσθενῆ, δοῦλα, κωλυτά, ἀλλότρια. μέμνησο οὖν, ὅτι, ἐὰν τὰ φύσει δοῦλα, ἐλεύθερα οἰηθῇς καὶ τὰ ἀλλότρια ἴδια, ἐμποδισθήσῃ, πενθήσεις, ταραχθήσῃ, μέμψῃ καὶ θεοὺς καὶ ἀνθρώπους, ἐὰν δὲ τὸ σὸν μόνον οἰηθῇς σὸν εἶναι, τὸ δὲ ἀλλότριον, ὥσπερ ἐστίν, ἀλλότριον, οὐδείς σε ἀναγκάσει οὐδέποτε, οὐδείς σε κωλύσει, οὐ μέμψῃ οὐδένα, οὐκ ἐγκαλέσεις τινί, ἄκων πράξεις οὐδὲ ἕν, ἐχθρὸν οὐχ ἕξεις, οὐδείς σε βλάψει, οὐδὲ γὰρ βλαβερόν τι πείσῃ. τηλικούτων οὖν ἐφιέμενος μέμνησο, ὅτι οὐ δεῖ μετρίως κεκινημένον ἅπτεσθαι αὐτῶν, ἀλλὰ τὰ μὲν ἀφιέναι παντελῶς, τὰ δ' ὑπερτίθεσθαι πρὸς τὸ παρόν.

1. Entre as coisas que existem, há aquelas subordinadas a nós e as não subordinadas a nós. As subordinadas a nós são o *pensamento*,[1] o *impulso*,[2] o *desejo*,[3] o *evitar* [4] e, em síntese, *todas as operações que executamos*;[5] as não subordinadas a nós são o *corpo*,[6] *os bens*,[7] a *reputação*,[8] os *cargos*[9] e, em síntese, tudo aquilo que não são operações que executamos. Some-se a isso que as que estão subordinadas a nós são naturalmente livres, desimpedidas, sem obstáculos, ao passo que as que não estão subordinadas a nós são frágeis, *servis*,[10] sujeitas a impedimentos, estranhas. Lembra-te, assim, que, se consideras livre aquilo que é naturalmente servil, e próprio de ti aquilo que é estranho a ti, te verás diante de obstáculos, sofrerás aflição, perturbação, e incriminarás os deuses e os seres humanos, ao passo que, se consideras teu apenas aquilo que é teu e o que é estranho como o que é realmente estranho, nada ou ninguém jamais te constrangerá, nada ou ninguém te tolherá, não incriminarás ninguém, não encontrarás alguém para acusar, nada farás que não queiras, ninguém te prejudicará, não terás inimigos; com efeito, nada de prejudicial te atingirá. Portanto, com tantas coisas importantes em vista, lembra-te que não deves poupar esforços para alcançá-las; entretanto, deves abrir mão inteiramente de algumas, e de momento adiar outras.

---

1. ...ὑπόληψις, ... (*hypólepsis,*).
2. ...ὁρμή, ... (*hormé,*).
3. ...ὄρεξις, ... (*órexis,*).
4. ...ἔκκλισις... (*ékklisis*).
5. ...ὅσα ἡμέτερα ἔργα· ... (...*hósa hemétera érga·* ...), literalmente: ...todas as nossas obras... .
6. ...σῶμα, ... (*sôma,*).
7. ...ἡ κτῆσις, ... (*he ktêsis,*), ou seja, as posses, as propriedades, as riquezas.
8. ...δόξαι, ... (*dóxai,*), quer dizer, as opiniões que as pessoas têm sobre nós.
9. ...ἀρχαί... (*arkhaí*), isto é, os poderes dos quais somos investidos.
10. ...δοῦλα, ... (*doŷla,*), ou seja, próprias de um escravo.

ἐὰν δὲ καὶ ταῦτ' ἐθέλῃς καὶ ἄρχειν καὶ πλουτεῖν, τυχὸν μὲν οὐδ' αὐτῶν τούτων τεύξῃ διὰ τὸ καὶ τῶν προτέρων ἐφίεσθαι, πάντως γε μὴν ἐκείνων ἀποτεύξῃ, δι' ὧν μόνων ἐλευθερία καὶ εὐδαιμονία περιγίνεται. Εὐθὺς οὖν πάσῃ φαντασίᾳ τραχείᾳ μελέτα ἐπιλέγειν ὅτι "φαντασία εἶ καὶ οὐ πάντως τὸ φαινόμενον". ἔπειτα ἐξέταζε αὐτὴν καὶ δοκίμαζε τοῖς κανόσι τούτοις οἷς ἔχεις, πρώτῳ δὲ τούτῳ καὶ μάλιστα, πότερον περὶ τὰ ἐφ' ἡμῖν ἐστὶν ἢ περὶ τὰ οὐκ ἐφ' ἡμῖν· κἂν περί τι τῶν οὐκ ἐφ' ἡμῖν ᾖ, πρόχειρον ἔστω τὸ διότι "οὐδὲν πρὸς ἐμέ".

Mas se desejas, inclusive, cargos de poder e riqueza, talvez não venhas a atingi-los em razão de desejares as primeiras coisas mencionadas; *de modo algum conseguirás obter as coisas que com exclusividade geram a liberdade e a felicidade.*[11] Portanto, diante de toda *ideia*[12] desagradável apressa-te em dizer: "És uma ideia, e de maneira alguma o que aparentas ser". Em seguida submete-a a exame e a teste com base nas regras de que dispões, entre as quais a primeira e principal é aquela segundo a qual se estima se a ideia diz respeito ao que está subordinado a nós ou ao que não está subordinado a nós; se disser respeito ao que não está subordinado a nós, prontifica-te a dizer: "Nada é com relação a mim".

---

11. ...πάντως γε μὴν ἐκείνων ἀποτεύξῃ, δι' ὧν μόνων ἐλευθερία καὶ εὐδαιμονία περιγίνεται. ... (...*pántos ge mèn ekeínon apoteýxei, di' hôn mónon eleythería kaì eydaimonía perigínetai.* ...). Sentença importantíssima do prisma doutrinário, que traduzimos distante da literalidade e para a qual oferecemos uma tradução alternativa: ...certamente fracassarás na obtenção daquelas únicas coisas das quais resultam a liberdade e a felicidade. ... .
12. ...φαντασίᾳ... (*phantasíai*), imagem mental abstrata ou de um objeto exterior.

2. Μέμνησο, ὅτι ὀρέξεως ἐπαγγελία ἐπιτυχία οὗ ὀρέγῃ, ἐκκλίσεως ἐπαγγελία τὸ μὴ περιπεσεῖν ἐκείνῳ ὃ ἐκκλίνεται, καὶ ὁ μὲν ἐν ὀρέξει ἀποτυγχάνων ἀτυχής, ὁ δὲ ἐν ἐκκλίσει περιπίπτων δυστυχής. ἂν μὲν οὖν μόνα ἐκκλίνῃς τὰ παρὰ φύσιν τῶν ἐπὶ σοί, οὐδενί, ὧν ἐκκλίνεις, περιπεσῇ· νόσον δ' ἂν ἐκκλίνῃς ἢ θάνατον ἢ πενίαν, δυστυχήσεις. ἆρον οὖν τὴν ἔκκλισιν ἀπὸ πάντων τῶν οὐκ ἐφ' ἡμῖν καὶ μετάθες ἐπὶ τὰ παρὰ φύσιν τῶν ἐφ' ἡμῖν. τὴν ὄρεξιν δὲ παντελῶς ἐπὶ τοῦ παρόντος ἄνελε· ἄν τε γὰρ ὀρέγῃ τῶν οὐκ ἐφ' ἡμῖν τινός, ἀτυχεῖν ἀνάγκη, τῶν τε ἐφ' ἡμῖν, ὅσων ὀρέγεσθαι καλὸν ἄν, οὐδὲν οὐδέπω σοι πάρεστι. μόνῳ δὲ τῷ ὁρμᾶν καὶ ἀφορμᾶν χρῶ, κούφως καὶ μέντοι μεθ' ὑπεξαιρέσεως καὶ ἀνειμένως.

3. Ἐφ' ἑκάστου τῶν ψυχαγωγούντων ἢ χρείαν παρεχόντων ἢ στεργομένων μέμνησο ἐπιλέγειν, ὁποῖόν ἐστιν, ἀπὸ τῶν σμικροτάτων ἀρξάμενος· ἂν χύτραν στέργῃς, ὅτι "χύτραν στέργω". κατεαγείσης γὰρ αὐτῆς οὐ ταραχθήσῃ· ἂν παιδίον σαυτοῦ καταφιλῇς ἢ γυναῖκα, ὅτι ἄνθρωπον καταφιλεῖς· ἀποθανόντος γὰρ οὐ ταραχθήσῃ.

2. Lembra-te que a promessa do desejo constitui o êxito na obtenção do que se deseja, que a promessa do evitar é não topar com o que é evitado, e que aquele que falha na obtenção do que deseja é um *fracassado*,[13] enquanto aquele que topa com o que evita é um *infeliz*.[14] Se, portanto, evitas tão só o que contraria a natureza naquilo que está subordinado a ti, não irás topar com nada que evitas; contudo, se evitas a *doença*,[15] ou a *morte*[16] ou a *pobreza*,[17] serás infeliz. Assim, não evites todas as coisas que não estão subordinadas a nós, passando, sim, o evitar para aquilo que contraria a natureza, no que se refere ao que está subordinado a nós. No que respeita ao desejo, por ora elimina-o totalmente, pois se desejares algo não subordinado a nós serás inevitavelmente um desafortunado, enquanto no que concerne ao que está subordinado a nós, sendo nobre o que desejas, nenhuma dessas coisas tampouco estará ao teu alcance. Teu emprego, quer dos impulsos, quer das rejeições, deve ser realizado somente de maneira relaxada, com moderação e sem coação.

3. No que toca a todas *as coisas que promovem alegria ou entretenimento*,[18] ou as coisas úteis, ou as que são objeto de afeição, lembra de dizer, a título de acréscimo, do que se tratam, principiando pelas mais ínfimas; se gostas de um jarro, diz "Gosto de um jarro", pois, se acontecer de ele se quebrar, isso não te perturbará; *se beijas teu próprio filho ou esposa, diz que beijas um ser humano*;[19] com efeito, nesse caso, se ele morrer não te perturbarás com isso.

---

13. ...ἀτυχής, ... (*atykhés,*), literalmente desafortunado ou aquele que não goza de boa sorte.
14. ...δυστυχής. ... (*dystykhés.*).
15. ...νόσον... (*nóson*).
16. ...θάνατον... (*thánaton*).
17. ...πενίαν, ... (*penían,*).
18. ...τῶν ψυχαγωγούντων... (...*tôn psykhagogoýnton*...).
19. ...ἂν παιδίον σαυτοῦ καταφιλῇς ἢ γυναῖκα, ὅτι ἄνθρωπον καταφιλεῖς· ... (...*àn paidíon saytoŷ kataphilêis è gynaîka, hóti ánthropon kataphileîs·* ...).

4. Ὅταν ἅπτεσθαί τινος ἔργου μέλλῃς, ὑπομίμνησκε σεαυτόν, ὁποῖόν ἐστι τὸ ἔργον. ἐὰν λουσόμενος ἀπίῃς, πρόβαλλε σεαυτῷ τὰ γινόμενα ἐν βαλανείῳ, τοὺς ἀπορραίνοντας, τοὺς ἐγκρουομένους, τοὺς λοιδοροῦντας, τοὺς κλέπτοντας. καὶ οὕτως ἀσφαλέστερον ἅψῃ τοῦ ἔργου, ἐὰν ἐπιλέγῃς εὐθὺς ὅτι "λούσασθαι θέλω καὶ τὴν ἐμαυτοῦ προαίρεσιν κατὰ φύσιν ἔχουσαν τηρῆσαι". καὶ ὡσαύτως ἐφ᾽ ἑκάστου ἔργου. οὕτω γὰρ ἄν τι πρὸς τὸ λούσασθαι γένηται ἐμποδών, πρόχειρον ἔσται διότι "ἀλλ᾽ οὐ τοῦτο ἤθελον μόνον, ἀλλὰ καὶ τὴν ἐμαυτοῦ προαίρεσιν κατὰ φύσιν ἔχουσαν τηρῆσαι· οὐ τηρήσω δέ, ἐὰν ἀγανακτῶ πρὸς τὰ γινόμενα".

5. Ταράσσει τοὺς ἀνθρώπους οὐ τὰ πράγματα, ἀλλὰ τὰ περὶ τῶν πραγμάτων δόγματα· οἷον θάνατος οὐδὲν δεινόν, ἐπεὶ καὶ Σωκράτει ἂν ἐφαίνετο, ἀλλὰ τὸ δόγμα τὸ περὶ τοῦ θανάτου, διότι δεινόν, ἐκεῖνο τὸ δεινόν ἐστιν. ὅταν οὖν ἐμποδιζώμεθα ἢ ταρασσώμεθα ἢ λυπώμεθα, μηδέποτε ἄλλον αἰτιώμεθα, ἀλλ᾽ ἑαυτούς, τοῦτ᾽ ἔστι τὰ ἑαυτῶν δόγματα. ἀπαιδεύτου ἔργον τὸ ἄλλοις ἐγκαλεῖν, ἐφ᾽ οἷς αὐτὸς πράσσει κακῶς· ἠργμένου παιδεύεσθαι τὸ ἑαυτῷ· πεπαιδευμένου τὸ μήτε ἄλλῳ μήτε ἑαυτῷ.

4. Quando te dispões a realizar alguma ação, recorda-te de qual é a natureza dessa ação. Se estás saindo para tomar um banho, antecipa mentalmente o que acontece *numa sala de banhos*,[20] ou seja, indivíduos que jogam água em ti, indivíduos que esbarram em ti, indivíduos que te insultam, indivíduos que te roubam. E assim tu irás executar tua ação com maior segurança se disseres de imediato: "Quero tomar banho e também conservar minha vontade em harmonia com a natureza". Igualmente no que toca a todas as ações. Com efeito, por via de consequência se durante o banho acontecer de te veres diante de algum obstáculo, estarás pronto para dizer: "Todavia eu não queria somente isso, mas também conservar minha vontade em harmonia com a natureza; mas não a conservaria se me aborrecesse com os acontecimentos".

5. *Não são as coisas que perturbam as pessoas, mas os pareceres a respeito das coisas*;[21] por exemplo, a morte nada tem de amedrontadora (*pois assim também não pareceu a Sócrates*),[22] mas o parecer sobre a morte é que é amedrontador. A conclusão é que quando experimentamos aborrecimento ou perturbação ou aflição, não é o caso de responsabilizar os outros por isso, mas a nós mesmos, ou seja, aos nossos próprios pareceres. É ação de um ignorante acusar os outros dos próprios males; atribuir a culpa a si mesmo é atitude de alguém que dá início a sua educação; aquele que nem acusa aos outros nem a si mesmo já é alguém educado.

---

20. ...ἐν βαλανείῳ, ... (*en balaneíoi,*): a referência é aos banhos públicos.
21. ...Ταράσσει τοὺς ἀνθρώπους οὐ τὰ πράγματα, ἀλλὰ τὰ περὶ τῶν πραγμάτων δόγματα· ... (*...Tarássei toỳs anthrópoys oy tà prágmata, allà tà perì tôn pragmáton dógmata·* ...).
22. ...ἐπεὶ καὶ Σωκράτει ἂν ἐφαίνετο... (*...epeì kaì Sokrátei àn ephaíneto...*). Epicteto se refere ao célebre filósofo ateniense Sócrates (470-399 a.C.), e particularmente ao seu parecer acerca da morte expresso no diálogo de Platão *Fédon*, que é ambientado no cárcere de Atenas no último dia de vida de Sócrates, que, condenado à morte, morrerá pela cicuta.

6. Ἐπὶ μηδενὶ ἐπαρθῇς ἀλλοτρίῳ προτερήματι. εἰ ὁ ἵππος ἐπαιρόμενος ἔλεγεν ὅτι "καλός εἰμι", οἰστὸν ἂν ἦν· σὺ δέ, ὅταν λέγῃς ἐπαιρόμενος ὅτι "ἵππον καλὸν ἔχω", ἴσθι, ὅτι ἐπὶ ἵππου ἀγαθῷ ἐπαίρῃ. τί οὖν ἐστι σόν; χρῆσις φαντασιῶν. ὥσθ', ὅταν ἐν χρήσει φαντασιῶν κατὰ φύσιν σχῇς, τηνικαῦτα ἐπάρθητι· τότε γὰρ ἐπὶ σῷ τινὶ ἀγαθῷ ἐπαρθήσῃ.

7. Καθάπερ ἐν πλῷ τοῦ πλοίου καθορμισθέντος εἰ ἐξέλθοις ὑθρεύσασθαι, ὁδοῦ μὲν πάρεργον καὶ κοχλίδιον ἀναλέξῃ καὶ βολβάριον, τετάσθαι δὲ δεῖ τὴν διάνοιαν ἐπὶ τὸ πλοῖον καὶ συνεχῶς ἐπιστρέφεσθαι, μή ποτε ὁ κυβερνήτης καλέσῃ, κἂν καλέσῃ, πάντα ἐκεῖνα ἀφιέναι, ἵνα μὴ δεδεμένος ἐμβληθῇς ὡς τὰ πρόβατα· οὕτω καὶ ἐν τῷ βίῳ, ἐὰν διδῶται ἀντὶ βολβαρίου καὶ κοχλιδίου γυναικάριον καὶ παιδίον, οὐδὲν κωλύσει· ἐὰν δὲ ὁ κυβερνήτης καλέσῃ, τρέχε ἐπὶ τὸ πλοῖον ἀφεὶς ἐκεῖνα ἅπαντα μηδὲ ἐπιστρεφόμενος. ἐὰν δὲ γέρων ᾖς, μηδὲ ἀπαλλαγῇς ποτὲ τοῦ πλοίου μακράν, μή ποτε καλοῦντος ἐλλίπῃς.

6. Não te orgulhes de uma qualidade superior que não é tua. Seria admissível se o cavalo se orgulhasse dizendo "*Eu sou belo*";[23] quando tu, porém, se orgulha dizendo: "*Possuo um belo cavalo*"[24], podes crer que estás te orgulhando de *um bem do cavalo*[25]. Então o que é de ti? O emprego das ideias. Resulta que, quando empregas ideias em consonância com a natureza, podes nesse caso orgulhar-te, pois então te orgulhas de algum bem que é teu.

7. Tal como numa viagem marítima, se o navio atraca no porto vais servir-te de água doce, e pode ser que a caminho disso suplementes com um *caracolzinho*[26] ou uma *cebolinha*,[27] é preciso manter o pensamento no navio e continuamente atento a ele, por receio de acontecer de não seres chamado pelo comandante, e, se fores chamado, largar tudo a fim de não ser amarrado e jogado a bordo como os carneiros; o mesmo ocorre na vida: se a ti forem dados em lugar de uma cebolinha ou um caracolzinho uma *pequena esposa*[28] ou uma criança, nada fará oposição a isso; mas se o comandante te chama, corre para o navio, abandona tudo sem sequer olhar a tua volta. Se és velho, nem mesmo te ponhas a uma grande distância do navio para não deixar de ouvir a chamada.

---

23. ...καλός εἰμι... (*kalós eimi*).
24. ...ἵππον καλόν ἔχω... (*híppon kalón ékho*).
25. ...ἵππου ἀγαθῷ... (*híppoy agathôi*). A quase totalidade dos manuscritos registra ἵππῳ ἀγαθῷ (*híppoi agathôi*), ou seja, as duas palavras no dativo singular; há helenistas, porém, que, seguindo a lição de Simplício, adotaram a substituição do dativo ἵππῳ (*híppoi*) pelo genitivo singular ἵππου (*híppoy*), que é o caso aqui da edição de Schweighäuser.
26. ...κοχλίδιον... (*kokhlídion*), um pequeno molusco comestível, à semelhança do famoso *escargot* francês.
27. ...βολβάριον, ... (*bolbárion,*).
28. ...γυναικάριον... (*gynaikárion*).

8. Μὴ ζήτει τὰ γινόμενα γίνεσθαι ὡς θέλεις, ἀλλὰ θέλε τὰ γινόμενα ὡς γίνεται καὶ εὐροήσεις.

9. Νόσος σώματός ἐστιν ἐμπόδιον, προαιρέσεως δὲ οὔ, ἐὰν μὴ αὐτὴ θέλῃ. χώλανσις σκέλους ἐστὶν ἐμπόδιον, προαιρέσεως δὲ οὔ. καὶ τοῦτο ἐφ' ἑκάστου τῶν ἐμπιπτόντων ἐπίλεγε· εὑρήσεις γὰρ αὐτὸ ἄλλου τινὸς ἐμπόδιον, σὸν δὲ οὔ.

10. Ἐφ' ἑκάστου τῶν προσπιπτόντων μέμνησο ἐπιστρέφων ἐπὶ σεαυτὸν ζητεῖν, τίνα δύναμιν ἔχεις πρὸς τὴν χρῆσιν αὐτοῦ. ἐὰν καλὸν ἴδῃς ἢ καλήν, εὑρήσεις δύναμιν πρὸς ταῦτα ἐγκράτειαν· ἐὰν πόνος προσφέρηται, εὑρήσεις καρτερίαν· ἂν λοιδορία, εὑρήσεις ἀνεξικακίαν. καὶ οὕτως ἐθιζόμενόν σε οὐ συναρπάσουσιν αἱ φαντασίαι.

8. Não busques que os acontecimentos sejam como queres, mas queira que os acontecimentos sejam como são, com o que serás feliz.

9. A doença é um obstáculo para o corpo, não porém para a *vontade*,[29] a não ser que esta a queira. A claudicação é um obstáculo para as pernas, não porém para a vontade. E diz isso diante de cada um *dos acontecimentos que atingem*[30] a ti; com efeito, descobrirás algo que serve de barreira a alguma outra coisa, mas não a ti.

10. Diante de cada um *dos acontecimentos que atingem*[31] a ti, lembra de te voltares para ti mesmo em busca daquele poder que tens para tirar proveito de tal acontecimento. Se vês um *belo jovem*[32] ou uma *bela mulher*[33], encontrarás o poder para enfrentá-los no *autocontrole*[34]; se diante de um trabalho árduo, encontra-lo-ás na *paciência*[35]; diante do insulto, encontra-lo-ás na *resignação*[36]. E se te acostumares assim, as ideias não te dominarão.

---

29. ...προαιρέσεως... (*proairéseos*), literalmente *prévia escolha*.
30. ...τῶν ἐμπιπτόντων... (*tôn empiptónton*).
31. ...τῶν προσπιπτόντων... (*tôn prospiptónton*).
32. ...καλὸν... (*kalòn*).
33. ...καλήν, ... (*kalén,*).
34. ...ἐγκράτειαν... (*egkráteian*).
35. ...καρτερίαν... (*karterían*).
36. ...ἀνεξικακίαν... (*anexikakían*).

11. Μηδέποτε ἐπὶ μηδενὸς εἴπῃς ὅτι "ἀπώλεσα αὐτό", ἀλλ' ὅτι "ἀπέδωκα". τὸ παιδίον ἀπέθανεν; ἀπεδόθη. ἡ γυνὴ ἀπέθανεν; ἀπεδόθη. "τὸ χωρίον ἀφῃρέθην." οὐκοῦν καὶ τοῦτο ἀπεδόθη. "ἀλλὰ κακὸς ὁ ἀφελόμενος." τί δὲ σοὶ μέλει, διὰ τίνος σε ὁ δοὺς ἀπήτησε; μέχρι δ' ἂν διδῷται, ὡς ἀλλοτρίου αὐτῶν ἐπιμελοῦ, ὡς τοῦ πανδοχείου οἱ παριόντες.

12. Εἰ προκόψαι θέλεις, ἄφες τοὺς τοιούτους ἐπιλογισμούς. "ἐὰν ἀμελήσω τᾶν ἐμῶν, οὐχ ἕξω διατροφάς." "ἐὰν μὴ κολάσω τὸν παῖδα, πονηρὸς ἔσται." κρεῖσσον γὰρ λιμῷ ἀποθανεῖν ἄλυπον καὶ ἄφοβον γενόμενον ἢ ζῆν ἐν ἀφθόνοις ταρασσόμενον. κρεῖσσον δὲ τὸν παῖδα κακὸν εἶναι ἢ σὲ κακοδαίμονα. ἄρξαι τοιγαροῦν ἀπὸ τῶν σμικρῶν. ἐκχεῖται τὸ ἐλάδιον, κλέπτεται τὸ οἰνάριον· ἐπίλεγε ὅτι "τοσούτου πωλεῖται ἀπάθεια, τοσούτου ἀταραξία"· προῖκα δὲ οὐδὲν περιγίνεται. ὅταν δὲ καλῇς τὸν παῖδα, ἐνθυμοῦ, ὅτι δύναται μὴ ὑπακοῦσαι καὶ ὑπακούσας μηδὲν ποιῆσαι ὧν θέλεις· ἀλλ' οὐχ οὕτως ἐστὶν αὐτῷ καλῶς, ἵνα ἐπ' ἐκείνῳ ᾖ τὸ σὲ μὴ ταραχθῆναι.

11. Jamais digas acerca de qualquer coisa "eu a perdi", mas "eu a restituí". O teu filho morreu? Foi restituído. Tua mulher morreu? Foi restituída. "Fui despojado de minha propriedade rural." Muito bem! Isso também foi restituído. "Mas foi um patife que a despojou de mim." Mas que importância tem para ti aquele por meio do qual o doador quis a sua restituição? Enquanto a ti foi dada, cuida dela como algo que te é estranho, tal como agem os viajantes em relação à estalagem.

12. Se queres progredir, abandona reflexões do tipo "Se negligencio nos meus negócios, não terei como me sustentar"; "se não castigo meu pequeno escravo, ele será uma pessoa má". Com efeito, é melhor morrer de fome livre do sofrimento e do medo, do que viver na abundância com a alma perturbada; melhor ser o teu pequeno escravo uma pessoa má, do que seres tu uma pessoa *infeliz*. Assim, principia pelas pequenas coisas. O pouco azeite de que dispunhas derramou, teu escasso vinho foi furtado: diz a ti que "é esse o preço de venda da impassibilidade, o preço de venda da tranquilidade da alma". Nada é oferecido que não resulte num preço. Toda vez que chamares teu pequeno escravo, reflete que é possível que não tenha te escutado e que, se escutou, não venha a fazer o que queres; mas a posição dele não é tão boa a ponto de determinar que dele dependa o causar-te perturbação.

13. Εἰ προκόψαι θέλεις, ὑπόμεινον ἕνεκα τῶν ἐκτὸς ἀνόητος δόξας καὶ ἠλίθιος, μηδὲν βούλου δοκεῖν ἐπίστασθαι· κἂν δόξῃς τις εἶναί τισιν, ἀπίστει σεαυτῷ. ἴσθι γὰρ ὅτι οὐ ῥᾴδιον τὴν προαίρεσιν τὴν σεαυτοῦ κατὰ φύσιν ἔχουσαν φυλάξαι καὶ τὰ ἐκτός, ἀλλὰ τοῦ ἑτέρου ἐπιμελούμενον τοῦ ἑτέρου ἀμελῆσαι πᾶσα ἀνάγκη.

14. Ἐὰν θέλῃς τὰ τέκνα σου καὶ τὴν γυναῖκα καὶ τοὺς φίλους σου πάντοτε ζῆν, ἠλίθιος εἶ· τὰ γὰρ μὴ ἐπὶ σοὶ θέλεις ἐπὶ σοὶ εἶναι καὶ τὰ ἀλλότρια σὰ εἶναι. οὕτω κἂν τὸν παῖδα θέλῃς μὴ ἁμαρτάνειν, μωρὸς εἶ· θέλεις γὰρ τὴν κακίαν μὴ εἶναι κακίαν, ἀλλ' ἄλλο τι. ἐὰν δὲ θέλῃς ὀρεγόμενος μὴ ἀποτυγχάνειν, τοῦτο δύνασαι. τοῦτο οὖν ἄσκει, ὃ δύνασαι. κύριος ἑκάστου ἐστὶν ὁ τῶν ὑπ' ἐκείνου θελομένων ἢ μὴ θελομένων ἔχων τὴν ἐξουσίαν εἰς τὸ περιποιῆσαι ἢ ἀφελέσθαι. ὅστις οὖν ἐλεύθερος εἶναι βούλεται, μήτε θελέτω τι μήτε φευγέτω τι τῶν ἐπ' ἄλλοις· εἰ δὲ μή, δουλεύειν ἀνάγκη.

13. Se queres progredir, resigna-te a parecer externamente um insensato e um estúpido, e nem queiras ostentar que possuis qualquer conhecimento; e se gozares de alguma boa reputação, desconfia de ti mesmo. Com efeito, saiba que não é fácil conservares tua vontade em conformidade com a natureza e manter externamente as aparências: pelo contrário, é inteiramente inevitável que aquele que se ocupa de uma dessas coisas venha a negligenciar a outra.

14. Se queres que teus filhos, tua esposa e teus amigos vivam para sempre, és um tolo, pois estás querendo que aquilo que não está subordinado a ti esteja subordinado a ti e que aquilo que não pertence a ti pertença a ti; assim, se queres que teu pequeno escravo não cometa erros, és um insensato, pois neste caso estás querendo que o vício não seja vício, mas uma outra coisa. Se, todavia, o que queres é não deixar de alcançar o que desejas, disso és capaz. Portanto, ocupa-te daquilo de que és capaz. Cada senhor de alguém é aquele que possui o poder sobre o que esse alguém quer ou não quer no sentido de conservá-lo ou suprimi-lo. Consequentemente, aquele que quer ser livre nem deseje nem se esquive das coisas que estão subordinadas a outros, caso contrário será forçosamente um escravo.

15. Μέμνησο, ὅτι ὡς ἐν συμποσίῳ σε δεῖ ἀναστρέφεσθαι. περιφερόμενον γέγονέ τι κατὰ σέ· ἐκτείνας τὴν χεῖρα κοσμίως μετάλαβε. παρέρχεται· μὴ κάτεχε. οὔπω ἥκει· μὴ ἐπίβαλλε πόρρω τὴν ὄρεξιν, ἀλλὰ περίμενε, μέχρις ἂν γένηται κατὰ σέ. οὕτω πρὸς τέκνα, οὕτω πρὸς γυναῖκα, οὕτω πρὸς ἀρχάς, οὕτω πρὸς πλοῦτον· καὶ ἔσῃ ποτὲ ἄξιος τῶν θεῶν συμπότης. ἂν δὲ καὶ παρατεθέντων σοι μὴ λάβῃς, ἀλλ' ὑπερίδῃς, τότε οὐ μόνον συμπότης τῶν θεῶν ἔσῃ, ἀλλὰ καὶ συνάρχων. οὕτω γὰρ ποιῶν Διογένης καὶ Ἡράκλειτος καὶ οἱ ὅμοιοι ἀξίως θεῖοί τε ἦσαν καὶ ἐλέγοντο.

16. Ὅταν κλαίοντα ἴδῃς τινὰ ἐν πένθει ἢ ἀποδημοῦντος τέκνου ἢ ἀπολωλεκότα τὰ ἑαυτοῦ, πρόσεχε μή σε ἡ φαντασία συναρπάσῃ ὡς ἐν κακοῖς ὄντος αὐτοῦ τοῖς ἐκτός, ἀλλ' εὐθὺς ἔστω πρόχειρον ὅτι "τοῦτον θλίβει οὐ τὸ συμβεβηκός (ἄλλον γὰρ οὐ θλίβει), ἀλλὰ τὸ δόγμα τὸ περὶ τούτου". μέχρι μέντοι λόγου μὴ ὄκνει συμπεριφέρεσθαι αὐτῷ, κἂν οὕτω τύχῃ, καὶ συνεπιστενάξαι· πρόσεχε μέντοι μὴ καὶ ἔσωθεν στενάξῃς.

15. Lembra que te deves comportar como se estivesses *num banquete*[37]. Se o prato que circula chegou a ti, estende a mão e toma uma porção de modo decente e polido. Passou ao teu lado? Não o detém. Se não chegou a ti ainda, não projetes de longe o teu desejo por ele, mas aguarda até que chegue a ti. Comporta-te assim em relação aos filhos, em relação à esposa, em relação aos cargos públicos, em relação à riqueza, e algum dia serás digno de ser um *conviva dos deuses*[38]. Se, porém, não tomas nenhuma dessas coisas que servem a ti, mas sim as desprezas, não te limitarás a ser um conviva dos deuses, como também partilharás do poder deles. Com efeito, foi assim agindo que Diógenes[39], Heráclito[40] e seus semelhantes mereceram ser chamados do que eram, isto é, divinos.

16. Quando veres alguém chorando de aflição devido à ausência de um filho em viagem ao estrangeiro, ou devido à perda dos seus bens, não te deixes tomar pela ideia de que os males que o atingem têm origem externa, mas pensa imediatamente o seguinte: "O que o oprime não são esses acontecimentos (pois não oprimem outra pessoa), mas a opinião que sustenta sobre eles". Entretanto, tanto quanto possam tuas palavras, não hesites em mostrar-te solidário com ele e, caso surja uma oportunidade, deves, inclusive, *acompanhá-lo em seus gemidos*[41]; entretanto, cuida para não interiorizar também os teus gemidos.

---

37. ...ἐν συμποσίῳ... (*en symposíoi*).
38. ...τῶν θεῶν συμπότης. ... (...*tôn theôn sympótes*. ...).
39. Diógenes de Sínope (*circa* 350 a.C.), cognominado ὁ κύων (*ho kýon*), o Cão, figura expressiva da escola dos filósofos *cínicos*.
40. Heráclito de Éfeso (*circa* 500 a.C.), φυσιολόγος (*physiológos*), ou seja, filósofo da natureza (pré-socrático), cognominado τὸ σκοτεινόν (*tò skoteinón*), o Obscuro.
41. ...συνεπιστενάξαι... (*synepistenáxai*).

17. Μέμνησο, ὅτι ὑποκριτὴς εἶ δράματος, οἵου ἂν θέλῃ ὁ διδάσκαλος· ἂν βραχύ, βραχέος· ἂν μακρόν, μακροῦ· ἂν πτωχὸν ὑποκρίνασθαί σε θέλῃ, ἵνα καὶ τοῦτον εὐφυῶς ὑποκρίνῃ· ἂν χωλόν, ἂν ἄρχοντα, ἂν ἰδιώτην. σὸν γὰρ τοῦτ' ἔστι, τὸ δοθὲν ὑποκρίνασθαι πρόσωπον καλῶς· ἐκλέξασθαι δ' αὐτὸ ἄλλου.

18. Κόραξ ὅταν μὴ αἴσιον κεκράγῃ, μὴ συναρπαζέτω σε ἡ φαντασία· ἀλλ' εὐθὺς διαίρει παρὰ σεαυτῷ καὶ λέγε ὅτι "τούτων ἐμοὶ οὐδὲν ἐπισημαίνεται, ἀλλ' ἢ τῷ σωματίῳ μου ἢ τῷ κτησειδίῳ μου ἢ τῷ δοξαρίῳ μου ἢ τοῖς τέκνοις ἢ τῇ γυναικί. ἐμοὶ δὲ πάντα αἴσια σημαίνεται, ἐὰν ἐγὼ θέλω· ὅ τι γὰρ ἂν τούτων ἀποβαίνῃ, ἐπ' ἐμοί ἐστιν ὠφεληθῆναι ἀπ' αὐτοῦ".

17. Lembra que és um ator num drama no qual o personagem que desempenhas é o preferido pelo dramaturgo: se um personagem medíocre, será um personagem medíocre; se um grande personagem, será um grande personagem; se quiser que teu papel seja o de um mendigo, ainda assim trata de interpretá-lo com talento; o mesmo se o personagem for um aleijado, um funcionário do Estado, um indivíduo particular comum. Com efeito, está em tuas mãos desempenhar bem o personagem, mas cabe a outra pessoa escolher o teu papel.

18. Quando um corvo emite um crocito *de mau agouro*[42], não te deixes levar pela primeira ideia que te vem à mente, mas imediatamente faz uma distinção no teu íntimo e diz que "Nada disso constitui um signo para mim, ou para o meu precário corpo, ou para as minhas escassas posses, ou para a minha irrisória opinião, ou para meus filhos ou para minha esposa. Mas, no que me diz respeito, todo signo é de bom agouro se assim eu o quiser, pois não importa o que suceda, está ao meu alcance tirar proveito disso".

---

42. ...μὴ αἴσιον... (*mè aísion*).

19. Ἀνίκητος εἶναι δύνασαι, ἐὰν εἰς μηδένα ἀγῶνα καταβαίνῃς, ὃν οὐκ ἔστιν ἐπὶ σοὶ νικῆσαι. ὅρα μή ποτε ἰδών τινα προτιμώμενον ἢ μέγα δυνάμενον ἢ ἄλλως εὐδοκιμοῦντα μακαρίσῃς, ὑπὸ τῆς φαντασίας συναρπασθείς. ἐὰν γὰρ ἐν τοῖς ἐφ' ἡμῖν ἡ οὐσία τοῦ ἀγαθοῦ ᾖ, οὔτε φθόνος οὔτε ζηλοτυπία χώραν ἔχει· σύ τε αὐτὸς οὐ στρατηγός, οὐ πρύτανις ἢ ὕπατος εἶναι θελήσεις, ἀλλ' ἐλεύθερος. μία δὲ ὁδὸς πρὸς τοῦτο, καταφρόνησις τῶν οὐκ ἐφ' ἡμῖν.

20. Μέμνησο, ὅτι οὐχ ὁ λοιδορῶν ἢ ὁ τύπτων ὑβρίζει, ἀλλὰ τὸ δόγμα τὸ περὶ τούτων ὡς ὑβριζόντων. ὅταν οὖν ἐρεθίσῃ σέ τις, ἴσθι, ὅτι ἡ σή σε ὑπόληψις ἠρέθικε. τοιγαροῦν ἐν πρώτοις πειρῶ ὑπὸ τῆς φαντασίας μὴ συναρπασθῆναι· ἂν γὰρ ἅπαξ χρόνου καὶ διατριβῆς τύχῃς, ῥᾷον κρατήσεις σεαυτοῦ.

19. *Podes ser invencível, se não desceres a nenhuma arena na qual sair vitorioso não depende de ti.*[43] Cuida para que ao observares alguém pelo qual és preterido quanto a receber honras, ou investido de grande poder, ou que de alguma outra forma goza de excelente reputação, não te deixes jamais levar pela ideia de julgá-lo feliz, pois se *a essência do bem*[44] estiver entre as coisas subordinadas a nós, não há espaço nem para a inveja nem para a rivalidade: e tu próprio não desejarás ser um general, ou um *prítane*[45] ou um cônsul, mas livre. O único caminho para isso é o *desprezo*[46] pelas coisas que não estão subordinadas a nós.

20. Lembra que não é aquele que te insulta ou aquele que te agride os agentes da violência, mas sim a tua opinião de que eles são violentos contigo. Por conseguinte, quando alguém te provoca, saiba que foi tua própria opinião a responsável pela provocação. Assim, empenha-te em primeiro lugar em não ser levado pela ideia e a impressão que tiveste; com efeito, uma vez que ganhes tempo e um prazo [para refletires], será com maior facilidade que te tornarás o senhor de ti mesmo.

---

43. ...Ἀνίκητος εἶναι δύνασαι, ἐὰν εἰς μηδένα ἀγῶνα καταβαίνῃς, ὃν οὐκ ἔστιν ἐπὶ σοὶ νικῆσαι. ... (...*Aníketos eînai dýnasai, eàn eis medéna agôna katabaíneis, hòn oyk éstin epì soì nikêsai.* ...).
44. ...ἡ οὐσία τοῦ ἀγαθοῦ... (...*he oysía toŷ agathoŷ*...).
45. ...πρύτανις... (*prýtanis*), genericamente chefe. Especificamente em Atenas, os prítanes eram os cinquenta delegados oriundos de uma eleição em cada uma das dez *tribos* (φῦλα [*phŷla*]). Esses homens eleitos constituíam os membros do Conselho dos Quinhentos, ou seja, o Senado (βουλή [*boylé*]). Outro sentido restrito da palavra era daquele que ocupava o cargo público de magistrado máximo nas cidades-Estado gregas em geral: parece ser esta a acepção a que Epicteto alude aqui.
46. ...καταφρόνησις... (*kataphrónesis*).

21. Θάνατος καὶ φυγὴ καὶ πάντα τὰ δεινὰ φαινόμενα πρὸ ὀφθαλμῶν ἔστω σοι καθ' ἡμέραν, μάλιστα δὲ πάντων ὁ θάνατος· καὶ οὐδὲν οὐδέποτε οὔτε ταπεινὸν ἐνθυμηθήσῃ οὔτε ἄγαν ἐπιθυμήσεις τινός.

22. Εἰ φιλοσοφίας ἐπιθυμεῖς, παρασκευάζου αὐτόθεν ὡς καταγελασθησόμενος, ὡς καταμωκησομένων σου πολλῶν, ὡς ἐρούντων ὅτι "ἄφνω φιλόσοφος ἡμῖν ἐπανελήλυθε" καὶ "πόθεν ἡμῖν αὕτη ἡ ὀφρύς"; σὺ δὲ ὀφρὺν μὲν μὴ σχῇς· τῶν δὲ βελτίστων σοι φαινομένων οὕτως ἔχου, ὡς ὑπὸ τοῦ θεοῦ τεταγμένος εἰς ταύτην τὴν χώραν· μέμνησό τε διότι, ἐὰν μὲν ἐμμείνῃς τοῖς αὐτοῖς, οἱ καταγελῶντές σου τὸ πρότερον οὗτοί σε ὕστερον θαυμάσονται, ἐὰν δὲ ἡττηθῇς αὐτῶν, διπλοῦν προσλήψῃ καταγέλωτα.

23. Ἐάν ποτέ σοι γένηται ἔξω στραφῆναι πρὸς τὸ βούλεσθαι ἀρέσαι τινί, ἴσθι ὅτι ἀπώλεσας τὴν ἔνστασιν. ἀρκοῦ οὖν ἐν παντὶ τῷ εἶναι φιλόσοφος, εἰ δὲ καὶ δοκεῖν βούλει, σαυτῷ φαίνου καὶ ἱκανὸς ἔσῃ.

21. Mantém, dia a dia, sob teus olhos a *morte*[47], o *exílio*[48] e *todas as coisas que se mostram terríveis*[49], sobretudo, entre todas, a morte: o resultado será jamais pensares algo de vil nem desejares algo em excesso.

22. Se desejas a filosofia, prepara-te de antemão para seres encarado pela multidão *como objeto de ridicularização, como objeto de gracejos*[50], a dizer "Ele repentinamente se tornou para nós filósofo" e "De onde nos veio essa sua postura orgulhosa?". No entanto, não assumas uma postura orgulhosa, mas prende-te ao que te parece o melhor, como se fosse um deus que te destinou a essa posição. Lembra que, se te conservares firme em tua posição, aqueles que antes te ridicularizaram passarão depois a te admirarem; se, porém, te deixares vencer pelo abatimento, serás duplamente alvo do riso.

23. Se por acaso vier a acontecer contigo de te voltares para o exterior no desejo de agradar a alguém, saiba que com isso afastaste de ti *a estratégia para a direção da vida*[51]. Portanto, com respeito a tudo, contenta-te em ser filósofo; e se for tua vontade, inclusive, parecer um, mostra a ti mesmo que és e isso será suficiente.

---

47. ...Θάνατος... (*Thánatos*).
48. ...φυγὴ... (*phygè*).
49. ...πάντα τὰ δεινὰ φαινόμενα... (...*pánta tà deinà phainómena*...).
50. ...ὡς καταγελασθησόμενος, ὡς καταμωκησομένων... (...*hos katagelasthesómenos, hos katamokesoménon*...).
51. ...τὴν ἔνστασιν... (*tèn énstasin*).

24. Οὗτοί σε οἱ διαλογισμοὶ μὴ θλιβέτωσαν· "ἄτιμος ἐγὼ βιώσομαι καὶ οὐδεὶς οὐδαμοῦ." εἰ γὰρ ἡ ἀτιμία ἐστὶ κακόν, οὐ δύνασαι ἐν κακῷ εἶναι δι' ἄλλον, οὐ μᾶλλον ἢ ἐν αἰσχρῷ· μή τι οὖν σόν ἐστιν ἔργον τὸ ἀρχῆς τυχεῖν ἢ παραληφθῆναι ἐφ' ἑστίασιν; οὐδαμῶς. πῶς οὖν ἔτι τοῦτ' ἔστιν ἀτιμία; πῶς δὲ οὐδεὶς οὐδαμοῦ ἔσῃ, ὃν ἐν μόνοις εἶναί τινα δεῖ τοῖς ἐπὶ σοί, ἐν οἷς ἔξεστί σοι εἶναι πλείστου ἀξίῳ; ἀλλά σοι οἱ φίλοι ἀβοήθητοι ἔσονται; τί λέγεις τὸ ἀβοήθητοι; οὐχ ἕξουσι παρὰ σοῦ κερμάτιον· οὐδὲ πολίτας Ῥωμαίων αὐτοὺς ποιήσεις. τίς οὖν σοι εἶπεν, ὅτι ταῦτα τῶν ἐφ' ἡμῖν ἐστιν, οὐχὶ δὲ ἀλλότρια ἔργα; τίς δὲ δοῦναι δύναται ἑτέρῳ, ἃ μὴ ἔχει αὐτός; "κτῆσαι οὖν", φησίν, "ἵνα ἡμεῖς ἔχωμεν". εἰ δύναμαι κτήσασθαι τηρῶν ἐμαυτὸν αἰδήμονα καὶ πιστὸν καὶ μεγαλόφρονα, δείκνυε τὴν ὁδὸν καὶ κτήσομαι. εἰ δ' ἐμὲ ἀξιοῦτε τὰ ἀγαθὰ τὰ ἐμαυτοῦ ἀπολέσαι, ἵνα ὑμεῖς τὰ μὴ ἀγαθὰ περιποιήσησθε, ὁρᾶτε ὑμεῖς, πῶς ἄνισοί ἐστε καὶ ἀγνώμονες. τί δὲ καὶ βούλεσθε μᾶλλον; ἀργύριον ἢ φίλον πιστὸν καὶ αἰδήμονα; εἰς τοῦτο οὖν μοι μᾶλλον συλλαμβάνετε καὶ μή, δι' ὧν ἀποβαλῶ αὐτὰ ταῦτα, ἐκεῖνά με πράσσειν ἀξιοῦτε.

24.
Não te angusties com raciocínios como "Viverei destituído de honras e nada serei em lugar algum". Com efeito, se a falta de honras é um mal, não podes estar no mal por conta de outra pessoa, tanto quanto não o podes estar na vergonha. Cabe a ti obter um cargo público ou ser convidado para um banquete? De modo algum. Então, no que isso diz respeito à falta de honra? E como conceber que *nada serás em lugar algum*[52] quando só deves ser alguém naquilo que está subordinado a ti, no que estás facultado a ser alguém da mais elevada dignidade? Mas teus amigos ficarão sem ajuda? O que queres dizer com *sem ajuda*[53]? Não terão de ti umas míseras moedas; tampouco farás deles cidadãos romanos. Ora, afinal, quem te disse que estas são coisas que estão subordinadas a ti e que não são obra de outros? Quem é capaz de dar a outra pessoa aquilo que ele próprio não tem? "Então adquire", *ele diz*,[54] "para que nós tenhamos." Se eu puder adquirir mantendo-me respeitável, honesto e detentor de sentimentos elevados, mostra-me o caminho e eu adquirirei. Mas se achais que vale a pena eu perder as coisas boas que me são próprias para obterdes coisas que não são boas, como sois injustos e imprudentes! E o que preferis? *Dinheiro ou um amigo honesto e respeitável?*[55] Sendo assim, é melhor que me *ajudeis*[56] em lugar de julgardes que vale a pena que eu aja de modo a perder aquelas coisas boas.

---

52. ...οὐδεὶς οὐδαμοῦ ἔσῃ, ... (*oydeìs oydamoỷ ései,*).
53. ...ἀβοήθητοι... (*aboéthetoi*).
54. ...φησίν, ... (*phesín,*), ou seja, um dos amigos.
55. ...ἀργύριον ἢ φίλον πιστὸν καὶ αἰδήμονα; ... (*...argýrion è phílon pistòn kaì aidémona; ...*).
56. ...συλλαμβάνετε... (*syllambánete*).

"Ἀλλ' ἡ πατρίς, ὅσον ἐπ' ἐμοί", φησίν, "ἀβοήθητος ἔσται". πάλιν, ποίαν καὶ ταύτην βοήθειαν; στοὰς οὐχ ἕξει διὰ σὲ οὔτε βαλανεῖα. καὶ τί τοῦτο; οὐδὲ γὰρ ὑποδήματα ἔχει διὰ τὸν χαλκέα οὐδ' ὅπλα διὰ τὸν σκυτέα· ἱκανὸν δέ, ἐὰν ἕκαστος ἐκπληρώσῃ τὸ ἑαυτοῦ ἔργον. εἰ δὲ ἄλλον τινὰ αὐτῇ κατεσκεύαζες πολίτην πιστὸν καὶ αἰδήμονα, οὐδὲν ἂν αὐτὴν ὠφέλεις; "ναί". οὐκοῦν οὐδὲ σὺ αὐτὸς ἀνωφελὴς ἂν εἴης αὐτῇ. "τίνα οὖν ἕξω", φησί, "χώραν ἐν τῇ πόλει"; ἣν ἂν δύνῃ φυλάττων ἅμα τὸν πιστὸν καὶ αἰδήμονα. εἰ δὲ ἐκείνην ὠφελεῖν βουλόμενος ἀποβαλεῖς ταῦτα, τί ὄφελος ἂν αὐτῇ γένοιο ἀναιδὴς καὶ ἄπιστος ἀποτελεσθείς;

"Mas minha pátria, no que diz respeito a mim," *ele diz*,[57] "estará sem ajuda." Pergunto mais uma vez: qual é essa ajuda? Não será ter ela à disposição galerias com colunas nem salas de banho. E, afinal, o que é isso? Nem são os calçados fornecidos pelo *caldeireiro*[58] nem as armas fornecidas por aquele que confecciona calçados. Basta que cada um execute seu próprio trabalho. Entretanto, se suprisses a ela um outro cidadão honesto e respeitável, não estarias lhe oferecendo algo útil? "Sim." Ora, então neste caso também não serias inútil para ela. "Mas assim...", ele diz, "...que lugar ocuparei no Estado?" Aquele que *podes*[59] ocupar ao mesmo tempo mantendo a ti honesto e respeitável. Se, porém, na tua vontade de ser útil a ela perderes essas qualidades, que utilidade terás para ela se te tornaste indigno de respeito e desonesto?

---

57. ...φησίν, ... (*phesín,*), assim prossegue um dos amigos que parece representar os demais.
58. ...χαλκέα... (*khalkéa*), especificamente o artesão que trabalhava com cobre ou bronze; mais restritamente aquele que trabalhava com ferro (ferreiro); genericamente aquele que trabalhava com metais.
59. ...δύνῃ... (*dýnei*).

25. Προετιμήθη σού τις ἐν ἑστιάσει ἢ ἐν προσαγορεύσει ἢ ἐν τῷ παραληφθῆναι εἰς συμβουλίαν; εἰ μὲν ἀγαθὰ ταῦτά ἐστι, χαίρειν σε δεῖ, ὅτι ἔτυχεν αὐτῶν ἐκεῖνος· εἰ δὲ κακά, μὴ ἄχθου, ὅτι σὺ αὐτῶν οὐκ ἔτυχες· μέμνησο δέ, ὅτι οὐ δύνασαι μὴ ταὐτὰ ποιῶν πρὸς τὸ τυγχάνειν τῶν οὐκ ἐφ' ἡμῖν τῶν ἴσων ἀξιοῦσθαι. πῶς γὰρ ἴσον ἔχειν δύναται ὁ μὴ φοιτῶν ἐπὶ θύρας τινὸς τῷ φοιτῶντι; ὁ μὴ παραπέμπων τῷ παραπέμποντι; ὁ μὴ ἐπαινῶν τῷ ἐπαινοῦντι; ἄδικος οὖν ἔσῃ καὶ ἄπληστος, εἰ μὴ προϊέμενος ταῦτα, ἀνθ' ὧν ἐκεῖνα πιπράσκεται, προῖκα αὐτὰ βουλήσῃ λαμβάνειν. ἀλλὰ πόσου πιπράσκονται θρίδακες; ὀβολοῦ, ἂν οὕτω τύχῃ. ἂν οὖν τις προέμενος τὸν ὀβολὸν λάβῃ θρίδακας, σὺ δὲ μὴ προέμενος μὴ λάβῃς, μὴ οἴου ἔλαττον ἔχειν τοῦ λαβόντος. ὡς γὰρ ἐκεῖνος ἔχει θρίδακας, οὕτω σὺ τὸν ὀβολόν, ὃν οὐκ ἔδωκας.

Τὸν αὐτὸν δὴ τρόπον καὶ ἐνταῦθα. οὐ παρεκλήθης ἐφ' ἑστίασίν τινος; οὐ γὰρ ἔδωκας τῷ καλοῦντι, ὅσου πωλεῖ τὸ δεῖπνον. ἐπαίνου δ' αὐτὸ πωλεῖ, θεραπείας πωλεῖ. δὸς οὖν τὸ διάφορον, εἰ σοι λυσιτελεῖ, ὅσου πωλεῖται. εἰ δὲ κἀκεῖνα θέλεις μὴ προΐεσθαι καὶ ταῦτα λαμβάνειν, ἄπληστος εἶ καὶ ἀβέλτερος. οὐδὲν οὖν ἔχεις ἀντὶ τοῦ δείπνου; ἔχεις μὲν οὖν τὸ μὴ ἐπαινέσαι τοῦτον, ὃν οὐκ ἤθελες, τὸ μὴ ἀνασχέσθαι αὐτοῦ τῶν ἐπὶ τῆς εἰσόδου.

25. Alguém recebeu maior honra do que tu num banquete, ou dirigiram a palavra a alguém preterindo a ti, ou convocaram alguém para dar conselho em lugar de ti? Na hipótese de essas coisas serem boas, deves te alegrar pelo fato de outra pessoa as haver obtido; se são más, não sofras por não as ter obtido. Lembra que, se não fazes o mesmo que os outros visando a obter coisas que não estão subordinadas a nós, não podes ser considerado merecedor de compartilhar igualmente com os outros. Com efeito, como seria possível para uma pessoa que não frequenta assiduamente a casa de alguém receber o mesmo que a pessoa que o faz? Aquele que não fornece uma escolta comparado com aquele que a fornece? Aquele que não faz louvores comparado àquele que os faz? Conclui-se que serás injusto e insaciável se, deixando de pagar o preço pelos quais essas coisas são vendidas, queiras recebê-las como um *presente*[60]. Mas quanto custa a alface? Um *óbulo*,[61] talvez. Assim, alguém que pagou com seu óbulo obteve a alface, enquanto tu que não pagaste não a obtiveste. Com isso, não penses que tens menos do que aquele que a obteve, pois tal como ele tem suas folhas de alface, tu tens o óbulo que não entregaste.

Nesta vida é também isso o que ocorre. Alguém não te convidou para um banquete? É compreensível já que não deste ao anfitrião o que ele cobra pelo *jantar*[62]. Ele o vende para ser pago em louvor; ele o vende para ser pago em atenções dirigidas a ele. Portanto, paga-lhe segundo o seu preço de venda, se o que ele vende é para o teu proveito. Mas se não queres pagar e ao mesmo tempo queres receber, és insaciável e também estúpido. Então nada tens para substituir o jantar? Tens, a saber, não precisaste louvar alguém que não querias louvar, não precisaste suportar a insolência dos porteiros à entrada de sua casa.

---

60. ...προῖκα... (*proîka*).
61. ...ὀβολοῦ, ... (*oboloŷ,*): no sistema monetário ateniense, moeda de prata de valor correspondente a um sexto da dracma (unidade monetária da Ática).
62. ...δεῖπνον... (*deîpnon*).

26. Τὸ βούλημα τῆς φύσεως καταμαθεῖν ἔστιν ἐξ ὧν οὐ διαφερόμεθα πρὸς ἀλλήλους. οἷον, ὅταν ἄλλου παιδάριον κατεάξῃ τὸ ποτήριον, πρόχειρον εὐθὺς λέγειν ὅτι "τῶν γινομένων ἐστίν". ἴσθι οὖν, ὅτι, ὅταν καὶ τὸ σὸν κατεαγῇ, τοιοῦτον εἶναί σε δεῖ, ὁποῖον ὅτε καὶ τὸ τοῦ ἄλλου κατάγῃ. οὕτω μετατίθει καὶ ἐπὶ τὰ μείζονα. τέκνον ἄλλου τέθνηκεν ἢ γυνή· οὐδείς ἐστιν ὃς οὐκ ἂν εἴποι ὅτι "ἀνθρώπινον"· ἀλλ' ὅταν τὸ αὐτοῦ τινος ἀποθάνῃ, εὐθὺς "οἴμοι, τάλας ἐγώ". ἐχρῆν δὲ μεμνῆσθαι, τί πάσχομεν περὶ ἄλλων αὐτὸ ἀκούσαντες.

27. Ὥσπερ σκοπὸς πρὸς τὸ ἀποτυχεῖν οὐ τίθεται, οὕτως οὐδὲ κακοῦ φύσις ἐν κόσμῳ γίνεται.

28. Εἰ μὲν τὸ σῶμά σού τις ἐπέτρεπε τῷ ἀπαντήσαντι, ἠγανάκτεις ἄν· ὅτι δὲ σὺ τὴν γνώμην τὴν σεαυτοῦ ἐπιτρέπεις τῷ τυχόντι, ἵνα, ἐὰν λοιδορήσηταί σοι, ταραχθῇ ἐκείνη καὶ συγχυθῇ, οὐκ αἰσχύνῃ τούτου ἕνεκα;

26. Podemos nos instruir sobre qual é *a vontade da natureza*⁶³ com base numa consideração daquilo em que não nos diferenciamos mutuamente. Por exemplo, quando o pequeno escravo de uma outra pessoa quebra uma taça, estás pronto a dizer instantaneamente "Esse tipo de coisa acontece". Fica ciente, portanto, que, quando for a tua taça a quebrada, deves tomar a mesma atitude que tomaste quando foi a taça alheia a quebrada. Transfere também essa mesma regra para as ocorrências mais importantes. O filho ou a esposa de outrem morreu: não haverá quem deixe de dizer que *"Isso faz parte da condição humana"*⁶⁴; quando, porém, é o nosso próprio filho ou a nossa própria esposa que morre, o lamento imediato é "Ai de mim! Quão desgraçado eu sou!". Devemos, todavia, nos lembrar qual é o sentimento que experimentamos ao ouvir que o mesmo atingiu a outros.

27. *Tal como um alvo não é instalado para não ser atingido, tampouco a natureza do mal é gerada no universo.*⁶⁵

28. Se alguém entregasse teu corpo ao primeiro que aparecesse, te sentirias irritado com isso; mas se tu entregasses tua própria *inteligência*⁶⁶ à primeira pessoa com quem topasses para que ela, te ultrajando, o fizesse mergulhar na perturbação e confusão, não te envergonharias com isso?

---

63. ...Τὸ βούλημα τῆς φύσεως... (...*Tò boýlema tês phýseos*...).
64. ...ἀνθρώπινον. ... (*anthrópinon*.), ou, mais próximo da literalidade: ...Isso é próprio do ser humano... .
65. ...Ὥσπερ σκοπὸς πρὸς τὸ ἀποτυχεῖν οὐ τίθεται, οὕτως οὐδὲ κακοῦ φύσις ἐν κόσμῳ γίνεται. (...*Hósper skopòs pròs tò apotykheîn oy títhetai, hoýtos oydè kakoŷ phýsis en kósmoi gínetai.*).
66. ...γνώμην... (*gnómen*), embora o conceito de *alma* também seja aplicável aqui.

29. Ἑκάστου ἔργου σκόπει τὰ καθηγούμενα καὶ τὰ ἀκόλουθα αὐτοῦ καὶ οὕτως ἔρχου ἐπ' αὐτό. εἰ δὲ μή, τὴν μὲν πρώτην προθύμως ἥξεις ἅτε μηδὲν τῶν ἑξῆς ἐντεθυμημένος, ὕστερον δὲ ἀναφανέντων δυσχερῶν τινῶν αἰσχρῶν ἀποστήσῃ. θέλεις Ὀλύμπια νικῆσαι; κἀγώ, νὴ τοὺς θεούς· κομψὸν γάρ ἐστιν. ἀλλὰ σκόπει τὰ καθηγούμενα καὶ τὰ ἀκόλουθα καὶ οὕτως ἅπτου τοῦ ἔργου. δεῖ σ' εὐτακτεῖν, ἀναγκοτροφεῖν, ἀπέχεσθαι πεμμάτων, γυμνάζεσθαι πρὸς ἀνάγκην, ἐν ὥρᾳ τεταγμένῃ, ἐν καύματι, ἐν ψύχει, μὴ ψυχρὸν πίνειν, μὴ οἶνον, ὡς ἔτυχεν, ἁπλῶς ὡς ἰατρῷ παραδεδωκέναι σεαυτὸν τῷ ἐπιστάτῃ, εἶτα ἐν τῷ ἀγῶνι παρέρχεσθαι, ἔστι δὲ ὅτε χεῖρα ἐκβαλεῖν, σφυρὸν στρέψαι, πολλὴν ἁφὴν καταπιεῖν, ἔσθ' ὅτε μαστιγωθῆναι καὶ μετὰ τούτων πάντων νικηθῆναι. ταῦτα ἐπισκεψάμενος, ἂν ἔτι θέλῃς, ἔρχου ἐπὶ τὸ ἀθλεῖν. εἰ δὲ μή, ὡς τὰ παιδία ἀναστραφήσῃ, ἃ νῦν μὲν παλαιστὰς παίζει, νῦν δὲ μονομάχους, νῦν δὲ σαλπίζει, εἶτα τραγῳδεῖ· οὕτω καὶ σὺ νῦν μὲν ἀθλητής, νῦν δὲ μονομάχος, εἶτα ῥήτωρ, εἶτα φιλόσοφος, ὅλῃ δὲ τῇ ψυχῇ οὐδέν· ἀλλ' ὡς πίθηκος πᾶσαν θέαν, ἣν ἂν ἴδῃς, μιμῇ καὶ ἄλλο ἐξ ἄλλου σοι ἀρέσκει.

29. Em cada ação considera *os antecedentes e os consequentes dela*[67] para só então realizá-la. Se assim não agires, darás início a ela com entusiasmo, uma vez que nunca pensaste em nenhuma de suas consequências; contudo, mais tarde, ao surgirem algumas dificuldades, tu desistirás desonrosamente. Queres conquistar uma vitória nos Jogos Olímpicos? Pelos deuses, eu também! Com efeito, isso é admirável. Entretanto, considera os antecedentes e os consequentes para só então empreenderes essa ação. Será necessário observares uma disciplina, te submeteres a uma dieta alimentar, te absteres de doces e guloseimas, suportar a imposição de exercícios em horários regulares no calor e no frio, não beber água fria nem vinho quando tiver vontade, em síntese, terás que te entregar ao teu treinador como te entregarias aos cuidados de um médico; em seguida, na competição terás que *cavar a terra*[68], às vezes *deslocar o pulso*[69], torcer o tornozelo, *engolir muita poeira*,[70] ocasionalmente até ser chicoteado, e depois de todas essas coisas ser vencido. Tudo isso *levado em consideração*,[71] se ainda assim o quiseres, empenha-te duramente para ser um atleta. Se não for desse modo, estarás agindo como as crianças que ora brincam de lutadores, ora de gladiadores, ora brincam de soar trombetas, e em seguida atuam como trágicos; ocorrerá algo idêntico contigo, que ora será um atleta, ora um gladiador, a seguir um orador e depois um filósofo, *porém, na plenitude de tua alma, nada;*[72] mas imitarás, como um macaco, todo espetáculo que contemplares, e uma coisa após a outra te trará satisfação.

---

67. ...τὰ καθηγούμενα καὶ τὰ ἀκόλουθα αὐτοῦ... (...*tà kathegoýmena kaì tà akóloytha aytoý*...).
68. ...παρορύσσεσθαι, ... (*parorýssesthai,*) no texto de Schweighäuser. Há, porém, helenistas que preferem ...παρέρχεσθαι, ... (*parérkhesthai,*), passar ao lado, ultrapassar (nomeadamente o adversário na corrida).
69. ...χεῖρα ἐκβαλεῖν, ... (*kheîra ekbaleîn,*), literalmente ...deslocar a mão, ... Mas alguns helenistas, diferentemente de Schweighäuser, preferem ...χεῖρα βαλεῖν, ... (*kheîra baleîn,*), ...ferir a mão, ...
70. ...πολλὴν ἀφὴν καταπιεῖν, ... (...*pollèn haphèn katapieîn,* ...).
71. ...ἐπισκεψάμενος, ... (*episkepsámenos,*).
72. ...ὅλῃ δὲ τῇ ψυχῇ οὐδέν· ... (...*hólei dè têi psykhêi oydén·* ...).

οὐ γὰρ μετὰ σκέψεως ἦλθες ἐπί τι οὐδὲ περιοδεύσας, ἀλλ' εἰκῆ καὶ κατὰ ψυχρὰν ἐπιθυμίαν.

Οὕτω θεασάμενοί τινες φιλόσοφον καὶ ἀκούσαντες οὕτω τινὸς λέγοντος, ὡς Εὐφράτης λέγει (καίτοι τίς οὕτω δύναται εἰπεῖν, ὡς ἐκεῖνος;), θέλουσι καὶ αὐτοὶ φιλοσοφεῖν. ἄνθρωπε, πρῶτον ἐπίσκεψαι, ὁποῖόν ἐστι τὸ πρᾶγμα· εἶτα καὶ τὴν σεαυτοῦ φύσιν κατάμαθε, εἰ δύνασαι βαστάσαι. πένταθλος εἶναι βούλει ἢ παλαιστής; ἴδε σεαυτοῦ τοὺς βραχίονας, τοὺς μηρούς, τὴν ὀσφὺν κατάμαθε. ἄλλος γὰρ πρὸς ἄλλο πέφυκε. δοκεῖς, ὅτι ταῦτα ποιῶν ὡσαύτως δύνασαι ἐσθίειν, ὡσαύτως πίνειν, ὁμοίως ὀργίζεσθαι, ὁμοίως δυσαρεστεῖν;

Com efeito, não empreendeste nada, depois de um cuidadoso exame e de considerá-lo sob todos os seus ângulos; pelo contrário, ages aleatoriamente e *sem ardor*[73].

Assim, quando certas pessoas observaram um filósofo e o escutaram falar *como Eufrates fala*[74] (entretanto, quem é capaz de falar como ele?), quiseram também elas ser filósofas. Homem, começa por considerar o que é que pretendes fazer, para depois, instruindo-te sobre sua própria natureza, descobrires se és capaz de levá-lo a cabo. Queres competir no *pentatlo*[75] ou [especificamente] na luta? Observa teus braços, tuas coxas, vê qual é a condição de teus rins. Com efeito, um tem propensão natural para uma coisa, ao passo que outro a tem para outra. Achas que agirás do mesmo modo, que poderás comer do mesmo modo, beber do mesmo modo, experimentar as mesmas aspirações, os mesmos aborrecimentos?

---

73. ...κατὰ ψυχρὰν ἐπιθυμίαν. ... (...*katà psykhràn epithymían.* ...), literalmente: ...com desejo frio... .
74. ...ὡς Εὐφράτης λέγει... (...*hos Eyphrátes légei*...), mas há helenistas, como Wolf, que discordam de Arriano e admitem ...ὡς εὖ Σωκράτης λέγει... (...*hos eŷ Sokrátes légei*...), ...como bem fala Sócrates... . Não há como ter certeza, e a questão repousa no mérito de cada estabelecimento de texto, ensejando uma discussão erudita, o que não é nossa competência. Assim, no mero domínio da tradução, ficamos com Arriano e Schweighäuser, entendendo que se trata efetivamente de Eufrates, filósofo estoico contemporâneo de Epicteto, homem de vasto saber (πολυμάθεια [*polymátheia*]) e pertencente ao *entourage* do imperador Hadriano. Como o haviam feito conscientemente o fundador do estoicismo (Zenão de Cítio [c. 320-c. 260 a.C.) e seu sucessor Cleanto, Eufrates (já gravemente enfermo) suicidou-se.
75. ...πένταθλος... (*péntathlos*), forma múltipla de competição de atletismo composta de cinco modalidades: corrida, luta, pugilato, salto e lançamento de disco.

ἀγρυπνῆσαι δεῖ, πονῆσαι, ἀπὸ τῶν οἰκείων ἀπελθεῖν, ὑπὸ παιδαρίου καταφρονηθῆναι, ὑπὸ τῶν ἀπαντώντων καταγελασθῆναι, ἐν παντὶ ἧττον ἔχειν, ἐν τιμῇ, ἐν ἀρχῇ, ἐν δίκῃ, ἐν πραγματίῳ παντί. ταῦτα ἐπίσκεψαι, εἰ θέλεις ἀντικαταλλάξασθαι τούτων ἀπάθειαν, ἐλευθερίαν, ἀταραξίαν· εἰ δὲ μή, μὴ προσάγαγε, μὴ ὡς τὰ παιδία νῦν φιλόσοφος, ὕστερον δὲ τελώνης, εἶτα ῥήτωρ, εἶτα ἐπίτροπος Καίσαρος. ταῦτα οὐ συμφωνεῖ. ἕνα σε δεῖ ἄνθρωπον ἢ ἀγαθὸν ἢ κακὸν εἶναι· ἢ τὸ ἡγεμονικόν σε δεῖ ἐξεργάζεσθαι τὸ σαυτοῦ ἢ τὸ ἐκτός· ἢ περὶ τὰ ἔσω φιλοτεχνεῖν ἢ περὶ τὰ ἔξω· τοῦτ' ἔστιν ἢ φιλοσόφου τάξιν ἐπέχειν ἢ ἰδιώτου.

Deverás ficar sem dormir, trabalhar arduamente, distanciar-te de familiares e parentes, ser objeto de desprezo de um pequeno escravo, objeto de riso *daqueles com quem topares*[76], em tudo ter o pior, nas honras, nos cargos públicos, nos processos judiciais, em todos os assuntos prosaicos. Examina todas essas coisas se queres receber em troca delas *impassibilidade, liberdade, tranquilidade de alma*[77]; se assim não for, não te aproximes da filosofia para teres a conduta das crianças, sendo, no presente filósofo, posteriormente recebedor de impostos, em seguida orador, logo após *procurador de César*[78]. Essas coisas não combinam. *Deves ser uma única pessoa, ou boa ou má;*[79] *deves trabalhar ou a faculdade condutora de ti mesmo ou as coisas externas;*[80] ocupar-te, com engenho e gosto, ou das *coisas interiores*[81] ou das *coisas exteriores*[82], isto é, desempenhar ou a função de um filósofo ou a *do indivíduo vulgar*[83].

---

76. ...τῶν ἀπαντώντων... (*tôn apantónton*).
77. ...ἀπάθειαν, ἐλευθερίαν, ἀταραξίαν· ... (...*apátheian, eleytherían, ataraxían·* ...).
78. ...ἐπίτροπος Καίσαρος. ... (*epítropos Kaísaros.*).
79. ...ἕνα σε δεῖ ἄνθρωπον ἢ ἀγαθὸν ἢ κακὸν εἶναι· ... (...*héna se deî ánthropon è agathòn è kakòn eînai·* ...).
80. ...ἢ τὸ ἡγεμονικόν σε δεῖ ἐξεργάζεσθαι τὸ σαυτοῦ ἢ τὰ ἐκτός· ... (...*è tò hegemonikón se deî exergázesthai tò saytoŷ è tà ektós·* ...). No pensamento estoico, a faculdade condutora (da alma) corresponde à razão.
81. ...τὰ ἔσω... (*tà éso*).
82. ...τὰ ἔξω... (*tà éxo*).
83. ...ἰδιώτου... (*idiótoy*), ou mesmo *do indivíduo ignorante*, mas não há aqui propriamente uma carga pejorativa, pois muitas das ocupações não filosóficas (cargos políticos, atividades militares etc.) distinguiam-se de profissões menores (como aquelas dos artesãos) e daquelas (no âmbito dos valores originalmente helênicos) positivamente vis (certas formas de comércio, a administração de bordeis etc.). O objetivo de Epicteto parece ser apenas distinguir enfaticamente a ocupação filosófica das demais.

30.
Τὰ καθήκοντα ὡς ἐπίπαν ταῖς σχέσεσι παραμετρεῖται. πατήρ ἐστιν· ὑπαγορεύεται ἐπιμελεῖσθαι, παραχωρεῖν ἁπάντων, ἀνέχεσθαι λοιδοροῦντος, παίοντος. "ἀλλὰ πατὴρ κακός ἐστι." μή τι οὖν πρὸς ἀγαθὸν πατέρα φύσει ᾠκειώθης; ἀλλὰ πρὸς πατέρα. "ὁ ἀδελφὸς ἀδικεῖ." τήρει τοιγαροῦν τὴν τάξιν τὴν σεαυτοῦ πρὸς αὐτόν. μηδὲ σκόπει, τί ἐκεῖνος ποιεῖ, ἀλλὰ τί σοὶ ποιήσαντι κατὰ φύσιν ἡ σὴ ἕξει προαίρεσις· σὲ γὰρ ἄλλος οὐ βλάψει, ἂν μὴ σὺ θέλῃς· τότε δὲ ἔσῃ βεβλαμμένος, ὅταν ὑπολάβῃς βλάπτεσθαι. οὕτως οὖν ἀπὸ τοῦ γείτονος, ἀπὸ τοῦ πολίτου, ἀπὸ τοῦ στρατηγοῦ τὸ καθῆκον εὑρήσεις, ἐὰν τὰς σχέσεις ἐθίζῃ θεωρεῖν.

30. As *obrigações*[84] são em geral medidas com base nas relações entre as pessoas. Ele é um pai: está determinado que deves cuidar dele, fazer-lhe todas as concessões, suportar de modo perseverante seus insultos e golpes. "Mas é um mau pai." A natureza, assim, te pôs em relação com um bom pai? Não, apenas com um pai. "Meu irmão é injusto comigo." Conserva, entretanto, a relação que entreténs com ele; tampouco considera suas ações, mas sim quais deverão ser as tuas, de modo que tua vontade se harmonize com a natureza. Com efeito, ninguém te prejudicará desde que não o queiras; só te prejudicarão se alimentares o pensamento de que és prejudicado. O resultado é que, se te acostumares a levar em consideração as relações com o teu vizinho, com o teu concidadão, com o teu general, descobrirás qual é tua obrigação.

---

84. ...καθήκοντα... (*kathékonta*).

31. Τῆς περὶ τοὺς θεοὺς εὐσεβείας ἴσθι ὅτι τὸ κυριώτατον ἐκεῖνό ἐστιν, ὀρθὰς ὑπολήψεις περὶ αὐτῶν ἔχειν ὡς ὄντων καὶ διοικούντων τὰ ὅλα καλῶς καὶ δικαίως, καὶ σαυτὸν εἰς τοῦτο κατατεταχέναι, τὸ πείθεσθαι αὐτοῖς καὶ εἴκειν πᾶσι τοῖς γινομένοις καὶ ἀκολουθεῖν ἑκόντα ὡς ὑπὸ τῆς ἀρίστης γνώμης ἐπιτελουμένοις. οὕτω γὰρ οὐ μέμψῃ ποτὲ τοὺς θεοὺς οὔτε ἐγκαλέσεις ὡς ἀμελούμενος. ἄλλως δὲ οὐχ οἷόν τε τοῦτο γίνεσθαι, ἐὰν μὴ ἄρῃς ἀπὸ τῶν οὐκ ἐφ᾽ ἡμῖν καὶ ἐν τοῖς ἐφ᾽ ἡμῖν μόνοις θῇς τὸ ἀγαθὸν καὶ τὸ κακόν. ὡς, ἄν γέ τι ἐκείνων ὑπολάβῃς ἀγαθὸν ἢ κακόν, πᾶσα ἀνάγκη, ὅταν ἀποτυγχάνῃς ὧν θέλεις καὶ περιπίπτῃς οἷς μὴ θέλεις, μέμψασθαί σε καὶ μισεῖν τοὺς αἰτίους. πέφυκε γὰρ πρὸς τοῦτο πᾶν ζῷον τὰ μὲν βλαβερὰ φαινόμενα καὶ τὰ αἴτια αὐτῶν φεύγειν καὶ ἐκτρέπεσθαι, τὰ δὲ ὠφέλιμα καὶ τὰ αἴτια αὐτῶν μετιέναι τε καὶ τεθηπέναι. ἀμήχανον οὖν βλάπτεσθαί τινα οἰόμενον χαίρειν τῷ δοκοῦντι βλάπτειν, ὥσπερ καὶ τὸ αὐτῇ τῇ βλάβῃ χαίρειν ἀδύνατον.

31. No que toca à *devoção religiosa*[85], relativamente aos deuses, saiba que o principal é ter acerca deles *concepções corretas*[86], como crer em sua existência, que realizam a regência de todas as coisas bem e com justiça, desse modo te dispondo a obedecê-los e te submeter a todos os acontecimentos, e os acatando de boa vontade na crença de que tudo está sendo realizado pela melhor das inteligências. Com efeito, graças a essa atitude, nunca acusarás os deuses nem os reprovarás por serem negligentes contigo. Contudo, isso não poderá vir a acontecer se não deslocares coisas que não estão subordinadas a nós e instalá-las unicamente naquelas que estão subordinadas a nós, o bem e o mal. Isto porque, se concebres alguma dessas primeiras coisas como boas ou más, será *totalmente inevitável*[87] que, quando não conseguires obter o que queres e topares com o que não queres, culparás e odiarás os responsáveis. De fato, fugir e desviar-se das coisas que parecem danosas e de suas causas, e buscar e tomar-se de admiração por aquelas que se revelam benéficas e por suas causas, constituem ações naturais de todo ser vivo. A conclusão é que é impossível para alguém que se considera vítima de um dano extrair prazer daquilo que julga estar produzindo dano a ele, como também é impossível que extraia prazer do próprio dano.

---

85. ...εὐσεβείας... (*eysebeías*).
86. ...ὀρθὰς ὑπολήψεις... (*orthàs hypolépseis*).
87. ...πᾶσα ἀνάγκη, ... (*pâsa anágke,*).

ἔνθεν καὶ πατὴρ ὑπὸ υἱοῦ λοιδορεῖται, ὅταν τῶν δοκούντων ἀγαθῶν εἶναι τῷ παιδὶ μὴ μεταδιδῷ· καὶ Πολυνείκην καὶ Ἐτεοκλέα τοῦτ' ἐποίησε πολεμίους τὸ ἀγαθὸν οἴεσθαι τὴν τυραννίδα. διὰ τοῦτο καὶ ὁ γεωργὸς λοιδορεῖ τοὺς θεούς, διὰ τοῦτο ὁ ναύτης, διὰ τοῦτο ὁ ἔμπορος, διὰ τοῦτο οἱ τὰς γυναῖκας καὶ τὰ τέκνα ἀπολλύντες. ὅπου γὰρ τὸ συμφέρον, ἐπεῖ καὶ τὸ εὐσεβές. ὥστε ὅστις ἐπιμελεῖται τοῦ ὀρέγεσθαι ὡς δεῖ καὶ ἐκκλίνειν, ἐν τῷ αὐτῷ καὶ εὐσεβείας ἐπιμελεῖται. σπένδειν δὲ καὶ θύειν καὶ ἀπάρχεσθαι κατὰ τὰ πάτρια ἑκάστοτε προσήκει καθαρῶς καὶ μὴ ἐπισεσυρμένως μηδὲ ἀμελῶς μηδέ γε γλίσχρως μηδὲ ὑπὲρ δύναμιν.

Disso resulta que um pai é aviltado por um *filho*[88] quando não leva a *criança*[89] a compartilhar daquilo que lhe parece ser uma coisa boa; foi isso que fez de Polineices e Etéocles, mútuos inimigos, a saber, pensarem que *a realeza*[90] é uma coisa boa. Eis a razão porque o agricultor insulta os deuses, porque o marinheiro o faz, porque o mercador o faz, porque aqueles que perderam suas esposas e seus filhos o fazem. Efetivamente, onde está o interesse, aí também está a devoção religiosa. Por conseguinte, todo aquele que é cuidadoso no sentido de administrar como deve aquilo que deseja e aquilo que evita, é cuidadoso do mesmo modo também no que se refere à devoção religiosa. No tocante às libações, sacrifícios e oferendas das primícias, é adequado agir de acordo com os costumes de cada país, fazendo-o com pureza, *de uma maneira que exclua a negligência*[91] e a indiferença, e não fazê-lo mesquinhamente, nem além de nossos recursos.

---

88. ...υἱοῦ... (*hyioŷ*), filho do sexo masculino.
89. ...παιδὶ... (*paidì*).
90. ...τὴν τυραννίδα... (*tèn tyrannída*). A palavra grega parece demasiado forte aqui, porque denota uma monarquia em que o poder do soberano é absoluto, abrindo caminho e espaço para a tirania. Segundo a mitologia, Édipo, antes de morrer, determinou que seus filhos Polineices e Etéocles, após sua morte, compartilhassem do poder alternando entre si períodos em que reinariam em Tebas. Eles não o fizeram, disputando encarniçadamente a soberania pessoal contínua e vitalícia. Acreditava Édipo que lhes deixava algo bom a ser compartilhado com ambos.
91. ...μὴ ἐπισεσυρμένως... (*mè episesyrménos*).

32. Ὅταν μαντικῇ προσίῃς, μέμνησο, ὅτι, τί μὲν ἀποβήσεται, οὐκ οἶδας, ἀλλὰ ἥκεις ὡς παρὰ τοῦ μάντεως αὐτὸ πευσόμενος, ὁποῖον δέ τι ἐστίν, ἐλήλυθας εἰδώς, εἴπερ εἶ φιλόσοφος. εἰ γάρ ἐστί τι τῶν οὐκ ἐφ' ἡμῖν, πᾶσα ἀνάγκη μήτε ἀγαθὸν αὐτὸ εἶναι μήτε κακόν. μὴ φέρε οὖν πρὸς τὸν μάντιν ὄρεξιν ἢ ἔκκλισιν μηδὲ τρέμων αὐτῷ πρόσει, ἀλλὰ διεγνωκώς, ὅτι πᾶν τὸ ἀποβησόμενον ἀδιάφορον καὶ οὐδὲν πρὸς σέ, ὁποῖον δ' ἂν ᾖ, ἔσται αὐτῷ χρήσασθαι καλῶς καὶ τοῦτο οὐθεὶς κωλύσει. θαρρῶν οὖν ὡς ἐπὶ συμβούλους ἔρχου τοὺς θεούς· καὶ λοιπόν, ὅταν τί σοι συμβουλευθῇ, μέμνησο τίνας συμβούλους παρέλαβες καὶ τίνων παρακούσεις ἀπειθήσας. ἔρχου δὲ ἐπὶ τὸ μαντεύεσθαι, καθάπερ ἠξίου Σωκράτης, ἐφ' ὧν ἡ πᾶσα σκέψις τὴν ἀναφορὰν εἰς τὴν ἔκβασιν ἔχει καὶ οὔτε ἐκ λόγου οὔτε ἐκ τέχνης τινὸς ἄλλης ἀφορμαὶ δίδονται πρὸς τὸ συνιδεῖν τὸ προκείμενον· ὥστε, ὅταν δεήσῃ συγκινδυνεῦσαι φίλῳ ἢ πατρίδι, μὴ μαντεύεσθαι, εἰ συγκινδυνευτέον. καὶ γὰρ ἂν προείπῃ σοι ὁ μάντις φαῦλα γεγονέναι τὰ ἱερά, δῆλον ὅτι θάνατος σημαίνεται ἢ πήρωσις μέρους τινὸς τοῦ σώματος ἢ φυγή· ἀλλ' αἱρεῖ ὁ λόγος καὶ σὺν τούτοις παρίστασθαι τῷ φίλῳ καὶ τῇ πατρίδι συγκινδυνεύειν. τοιγαροῦν τῷ μείζονι μάντει πρόσεχε, τῷ Πυθίῳ, ὃς ἐξέβαλε τοῦ ναοῦ τὸν οὐ βοηθήσαντα ἀναιρουμένῳ τῷ φίλῳ.

32. Quando recorreres à *divinação*[92], lembra-te que não estás ciente do resultado que obterás, mas que vieste consultar aquele que profere a divinação para saber qual será, isto embora saibas quando aí compareceres, se fores verdadeiramente um filósofo, do que se trata. Com efeito, se for uma daquelas coisas não subordinadas a nós, impõe-se como plena necessidade que não seja nem um bem nem um mal. Assim, não tragas àquele que profere a divinação nem desejos nem aversões; tampouco te aproximes dele sacudido por tremores, mas tendo já discernido que todo resultado é indiferente e nada para ti, e que, não importa qual seja, será possível que venhas a servir-te bem dele, algo que ninguém poderá impedir. Recorre, portanto, confiantemente aos deuses na sua qualidade de conselheiros; e, de resto, após seres aconselhado, lembra-te quem foram os conselheiros e a quem estarás desobedecendo se deixares de escutar o conselho. Recorre ao oráculo da forma que Sócrates achava que se devia fazê-lo, ou seja, nas ocasiões em que toda a *busca*[93] diz respeito ao resultado e quando nem a partir da razão nem a partir de alguma outra arte são concedidos meios para descobrir o que se quer saber; consequentemente, quando constitui teu dever expor-se ao perigo ao lado de um amigo ou pela pátria, não consultes o oráculo para saber se deves correr esse risco, pois se aquele que profere o oráculo anunciar a ti que os presságios são desfavoráveis, é evidente que são indícios da morte, ou da mutilação de algum membro do corpo ou do exílio; entretanto, quer a razão que fiques ao lado de teu amigo e que *te exponhas ao perigo pela pátria*[94]. Portanto, dirija-te e fica atento *ao maior daqueles que profere oráculos*[95], no templo de Apolo, que expulsou do templo quem não socorrera o amigo quando este fora assassinado.

---

92. ...μαντικῇ... (*mantikêi*), a arte da divinação ou de proferir oráculos.
93. ...σκέψις... (*sképsis*), especulação, pesquisa, entendendo-se obviamente que a busca desse conhecimento ou informação é ocasionada pela incerteza ou pela dúvida, acepções específicas aqui também aplicáveis para traduzir σκέψις.
94. ...πατρίδι συγκινδυνεύειν. ... (...*patrídi sygkindyneýein*. ...).
95. ...τῷ μείζονι μάντει... (...*tôi meízoni mántei*...), ou seja, a Pítia (Πυθία [*Pythía*]), sacerdotisa de Apolo no seu templo em Delfos, que em transe proferia os oráculos provenientes do deus Apolo, deus olímpico (filho de Zeus e Leto) vinculado pelos gregos antigos às artes (sobretudo, à música), à beleza masculina, à luz e, é claro, à profecia.

33. Τάξον τινὰ ἤδη χαρακτῆρα σαυτῷ καὶ τύπον, ὃν φυλάξεις ἐπί τε σεαυτοῦ ὢν καὶ ἀνθρώποις ἐντυγχάνων. καὶ σιωπὴ τὸ πολὺ ἔστω ἢ λαλείσθω τὰ ἀναγκαῖα καὶ δι' ὀλίγων. σπανίως δέ ποτε καιροῦ παρακαλοῦντος ἐπὶ τὸ λέγειν γέξον μέν, ἀλλὰ περὶ οὐδενὸς τῶν τυχόντων· μὴ περὶ μονομαχιῶν, μὴ περὶ ἱπποδρομιῶν, μὴ περὶ ἀθλητῶν, μὴ περὶ βρωμάτων ἢ πομάτων, τῶν ἑκασταχοῦ,[96] μάλιστα δὲ μὴ περὶ ἀνθρώπων ψέγων ἢ ἐπαινῶν ἢ συγκρίνων. ἂν μὲν οὖν οἷός τε ᾖς, μετάγαγε τοῖς σοῖς λόγοις[97] καὶ τοὺς τῶν συνόντων ἐπὶ τὸ προσῆκον. εἰ δὲ ἐν ἀλλοφύλοις ἀποληφθεὶς τύχοις, σιώπα.

Γέλως μὴ πολὺς ἔστω μηδὲ ἐπὶ πολλοῖς μηδὲ ἀνειμένος.

Ὅρκον παραίτησαι, εἰ μὲν οἷόν τε, εἰς ἅπαν, εἰ δὲ μή, ἐκ τῶν ἐνόντων.

Ἑστιάσεις τὰς ἔξω καὶ ἰδιωτικὰς διακρούου· ἐὰν δέ ποτε γίνηται καιρός, ἐντετάσθω σοι ἡ προσοχή, μήποτε ἄρα ὑπορρυῇς εἰς ἰδιωτισμόν. ἴσθι γάρ, ὅτι, ἐὰν ὁ ἑταῖρος ᾖ μεμολυσμένος, καὶ τὸν συνανατριβόμενον αὐτῷ συμμολύνεσθαι ἀνάγκη, κἂν αὐτὸς ὢν τύχῃ καθαρός.

Τὰ περὶ τὸ σῶμα μέχρι τῆς χρείας ψιλῆς παραλάμβανε, οἷον τροφάς, πόμα, ἀμπεχόνην, οἰκίαν, οἰκετίαν· τὸ δὲ πρὸς δόξαν ἢ τρυφὴν ἅπαν περίγραφε.

---

96. Simplício acresce apropriadamente ...λεγομένων... (*legoménon*) após ...ἑκασταχοῦ... (*ekastakhoý*).
97. O manuscrito registra ...τοὺς σοὺς λόγους... (*toỳs soỳs lógoys*).

33. *Estabelece para ti desde já uma certa categoria e tipo de caráter que manterás quer estejas isolado, quer na relação com as pessoas com as quais topares. E fica calado a maior parte do tempo, falando apenas o necessário e mediante poucas palavras. Mas raramente, quando a ocasião exigir que fales, dispõe-te a falar, porém, não a respeito de coisas ordinárias e casuais; não abras a boca para discursar sobre combates de gladiadores, corridas de cavalos, atletas, comidas ou bebidas, assuntos que vêm à baila em todo lugar; sobretudo, não fales das pessoas, não importa se censurando, elogiando ou as comparando. Se estiver ao teu alcance, articule teu discurso no sentido de encaminhar aqueles com quem convives para temas apropriados. Se, todavia, acontecer de ficares isolado em meio a pessoas estranhas, cala-te.*[98]

Não te disponhas a rir muito, nem de muitas coisas, nem de maneira descontrolada e ruidosa.

Recusa-te a fazer juramentos se assim puderes agir, mas se não puderes, age dessa maneira dentro do possível.

Afasta-te dos banquetes dos estrangeiros e das pessoas vulgares;[99] entretanto, se surgir uma ocasião na qual as circunstâncias exijam tua presença, fica atento no sentido de jamais incorrer na *vulgaridade*[100], pois saiba que se o companheiro de alguém se suja, será inevitável que aquele que *se relaciona frequentemente*[101] com ele compartilhe de sua sujeira, mesmo que eventualmente ele próprio seja limpo.

No que diz respeito às coisas que se referem ao corpo, toma para o teu uso unicamente o estritamente necessário, por exemplo em matéria de alimento, bebida, vestimenta, moradia, serviçais; elimina tudo o que constitui ostentação ou luxo combinado com indolência e sensualidade.

---

98. Período particularmente importante, que expressa muito bem o pragmatismo estoico de Epicteto em matéria de ética. Ver original na página ao lado.
99. ...Ἑστιάσεις τὰς ἔξω καὶ ἰδιωτικὰς διακρούου· ... (...*Hestiáseis tàs éxo kaì idiotikàs diakroýoy*· ...).
100. ...ἰδιωτισμόν... (*idiotismón*).
101. ...συνανατριβόμενον... (*synanatribómenon*).

Περὶ ἀφροδίσια εἰς δύναμιν πρὸ γάμου καθαρευτέον· ἁπτομένῳ δὲ ὧν νόμιμόν ἐστι μεταληπτέον. μὴ μέντοι ἐπαχθὴς γίνου τοῖς χρωμένοις μηδὲ ἐλεγκτικός· μηδὲ πολλαχοῦ τὸ ὅτι αὐτὸς οὐ χρῇ, παράφερε.

Ἐὰν τίς σοι ἀπαγγείλῃ ὅτι ὁ δεῖνά σε κακῶς λέγει, μὴ ἀπολογοῦ πρὸς τὰ λεχθέντα, ἀλλ᾽ ἀποκρίνου διότι "ἠγνόει γὰρ τὰ ἄλλα τὰ προσόντα μοι κακά, ἐπεὶ οὐκ ἂν ταῦτα μόνα ἔλεγεν".

Εἰς τὰ θέατρα τὸ πολὺ παριέναι οὐκ ἀναγκαῖον. εἰ δέ ποτε καιρὸς εἴη, μηδενὶ σπουδάζων φαίνου ἢ σεαυτῷ, τοῦτ᾽ ἔστι θέλε γίνεσθαι μόνα τὰ γινόμενα καὶ νικᾶν μόνον τὸν νικῶντα· οὕτω γὰρ οὐκ ἐμποδισθήσῃ. βοῆς δὲ καὶ τοῦ ἐπιγελᾶν τινι ἢ ἐπὶ πολὺ συγκινεῖσθαι παντελῶς ἀπέχου. καὶ μετὰ τὸ ἀπαλλαγῆναι μὴ πολλὰ περὶ τῶν γεγενημένων διαλέγου, ὅσα μὴ φέρει πρὸς τὴν σὴν ἐπανόρθωσιν· ἐμφαίνεται γὰρ ἐκ τοῦ τοιούτου, ὅτι ἐθαύμασας τὴν θέαν.

Quanto aos *prazeres do sexo*[102], *dentro de tua capacidade*[103] conserva-te puro antes do casamento; todavia, se vieres a ter relações sexuais, toma tua parte de acordo com o que é lícito. Contudo, não ofendas nem censures os que praticam essas relações sexuais; e tampouco manifesta com frequência e em todo lugar que tu próprio não as praticas.

Se chegar aos teus ouvidos que *certo indivíduo*[104] fala mal de ti, não te disponhas a defender-te do que foi dito, mas sim responde: "Sim, isso porque ele ignora os meus outros defeitos, pois se os conhecesse não estaria se referindo apenas a esses".

Não é necessário frequentar muito o teatro. Se, entretanto, surgir eventualmente uma boa oportunidade de fazê-lo, demonstra que tua preocupação é somente contigo mesmo, a saber, queira apenas que ocorram os acontecimentos que devem ocorrer e que tão só se sagre vitorioso quem deve sair vitorioso, pois desse modo nenhum obstáculo virá te incomodar. Não grites de modo algum, não te ponhas a rir deste ou daquele e nem te deixes tomar por muita emoção. Findo o espetáculo e após teres saído do teatro, não fales muito acerca do que aconteceu, salvo na medida em que isso concorra para o teu aprimoramento; com efeito, essa atitude revelará que *o espetáculo*[105] ganhou a tua admiração.

---

102. ...ἀφροδίσια... (*aphrodísia*).
103. ...εἰς δύναμιν... (*eis dýnamin*).
104. ...ὁ δεῖνά... (*ho deîná*), fulano.
105. ...τὴν θέαν... (*tèn théan*). Epicteto recomenda discrição ao assistir aos espetáculos e um comportamento bastante reservado, até porque o público, ao menos no período áureo da encenação da grande dramaturgia helênica (séculos V a.C. e IV a.C.), público especialmente das tragédias de Ésquilo, Eurípides e Sófocles e em Atenas, interagia intensamente com os atores.

Εἰς ἀκροάσεις τινῶν μὴ εἰκῇ μηδὲ ῥᾳδίως πάριθι· παριὼν δὲ τὸ σεμνὸν καὶ τὸ εὐσταθὲς καὶ ἅμα ἀνεπαχθὲς φύλασσε.

Ὅταν τινὶ μέλλῃς συμβαλλεῖν, μάλιστα τῶν ἐν ὑπεροχῇ δοκούντων, πρόβαλλε σεαυτῷ, τί ἂν ἐποίησεν ἐν τούτῳ Σωκράτης ἢ Ζήνων, καὶ οὐκ ἀπορήσεις τοῦ χρήσασθαι προσηκόντως τῷ ἐμπεσόντι. ὅταν φοιτᾷς πρός τινα τῶν μέγα δυναμένων, πρόβαλε, ὅτι οὐχ εὑρήσεις αὐτὸν ἔνδον, ὅτι ἀποκλεισθήσῃ, ὅτι ἐντιναχθήσονταί σοι αἱ θύραι, ὅτι οὐ φροντιεῖ σου. κἂν σὺν τούτοις ἐλθεῖν καθήκῃ, ἐλθὼν φέρε τὰ γινόμενα καὶ μηδέποτε εἴπῃς αὐτὸς πρὸς ἑαυτὸν ὅτι "οὐκ ἦν τοσούτου"· ἰδιωτικὸν γὰρ καὶ διαβεβλημένον πρὸς τὰ ἐκτός.

Ἐν ταῖς ὁμιλίαις ἀπέστω τὸ αὐτοῦ τινῶν ἔργων ἢ κινδύνων ἐπὶ πολὺ καὶ ἀμέτρως μεμνῆσθαι. οὐ γάρ, ὡς σοὶ ἡδύ ἐστι τὸ τῶν σῶν κινδύνων μεμνῆσθαι, οὕτω καὶ τοῖς ἄλλοις ἡδύ ἐστι τὸ τῶν σοὶ συμβεβηκότων ἀκούειν.

Não compareças de modo casual, leviano ou fácil às palestras públicas, mas quando o fizeres mantém a dignidade e o equilíbrio e, ao mesmo tempo, não sejas inconveniente.

Quando estiveres para conhecer alguém, especialmente alguém de destaque, indaga a ti mesmo o que teriam feito Sócrates ou Zenão[106] em semelhantes circunstâncias, de modo que não venhas a ter dificuldades para se conduzir adequadamente nessas circunstâncias. Quando te dirigires a alguém detentor de grande poder, põe diante de ti o pensamento de que não o encontrarás em casa, que suas portas estarão fechadas para ti, *que baterão as portas no teu rosto*,[107] que não se ocupará de ti. Mas se, apesar disso, ir a ele constitui teu dever, vai e suporta o que venha a acontecer, e nunca digas no teu íntimo: "Não valeu a pena", pois isso é próprio de gente vulgar e que se aborrece com coisas externas.

Nos diálogos das reuniões sociais, esquiva-te de evocar muito ou em excesso teus próprios feitos ou perigos. Com efeito, embora seja para ti agradável recordar os perigos que experimentaste, não é agradável aos outros ouvir *as tuas vicissitudes*[108].

---

106. Zenão de Cítio (*c*. 320-*c*. 260 a.C.), cipriota fundador do estoicismo.
107. ...ὅτι ἐντιναχθήσονταί σοι αἱ θύραι, ... (*...hóti entinakhthésontaí soi hai thýrai, ...*): Schweighäuser registra ...ἐντιναχθήσονταί..., mas preferimos ...ἐκτιναχθήσονταί... (*ektinakhthésontaí*), como consta no manuscrito.
108. ...τῶν σοὶ συμβεβηκότων... (*tôn soì symbebekóton*), ou seja, os acidentes que eventualmente te atingiram.

Ἀπέστω δὲ καὶ τὸ γέλωτα κινεῖν· ὀλισθηρὸς γὰρ ὁ τρόπος εἰς ἰδιωτισμὸν καὶ ἅμα ἱκανὸς τὴν αἰδῶ τὴν πρὸς σὲ τῶν πλησίον ἀνιέναι. ἐπισφαλὲς δὲ καὶ τὸ εἰς αἰσχρολογίαν προελθεῖν. ὅταν οὖν τι συμβῇ τοιοῦτον, ἂν μὲν εὔκαιρον ᾖ, καὶ ἐπίπληξον τῷ προελθόντι· εἰ δὲ μή, τῷ γε ἀποσιωπῆσαι καὶ ἐρυθριᾶσαι καὶ σκυθρωπάσαι δῆλος γίνου δυσχεραίνων τῷ λόγῳ.

Evita também desatar a rir, pois esta atitude descamba facilmente para a vulgaridade e, ao mesmo tempo, é suficiente para reduzir *o respeito*[109] que os vizinhos dirigem a ti. *Ademais, é perigoso se deixar levar pela linguagem obscena.*[110] Assim, quando algo desse tipo ocorrer, caso se apresente uma boa oportunidade, reprova a pessoa que se deixou levar por essa linguagem; se, todavia, não houver tal oportunidade, a fim de deixar claro que essa linguagem não te agradou, recorre ao silêncio, somado ao rubor e a um ar tristonho.

---

109. ...τὴν αἰδῶ... (*tèn aidô*).
110. ...ἐπισφαλὲς δὲ καὶ τὸ εἰς αἰσχρολογίαν προελθεῖν. ... (*episphalès dè kaì tò eis aiskhrologían proeltheîn.* ...). Entretanto, há helenistas, diferentemente de Schweighäuser, que registram ...ἐμπεσεῖν. ... (*empeseîn.*), o que nos conduziria a uma tradução substancialmente distinta no tocante ao conceito capital dessa frase: ...Ademais, é perigoso *chafurdar* na linguagem obscena... .

34. Ὅταν ἡδονῆς τινὸς φαντασίαν λάβῃς, καθάπερ ἐπὶ τῶν ἄλλων, φύλασσε σαυτόν, μὴ συναρπασθῇς ὑπ' αὐτῆς· ἀλλ' ἐκδεξάσθω σε τὸ πρᾶγμα, καὶ ἀναβολήν τινα παρὰ σεαυτοῦ λάβε. ἔπειτα μνήσθητι ἀμφοτέρων τῶν χρόνων, καθ' ὅν τε ἀπολαύσεις τῆς ἡδονῆς, καὶ καθ' ὃν ἀπολαύσας ὕστερον μετανοήσεις καὶ αὐτὸς σεαυτῷ λοιδορήσῃ· καὶ τούτοις ἀντίθες ὅπως ἀποσχόμενος χαιρήσεις καὶ ἐπαινέσεις αὐτὸς σεαυτόν. ἐὰν δέ σοι καιρὸς φανῇ ἅψασθαι τοῦ ἔργου, πρόσεχε, μὴ ἡττήσῃ σε τὸ προσηνὲς αὐτοῦ καὶ ἡδὺ καὶ ἐπαγωγόν· ἀλλ' ἀντιτίθει, πόσῳ ἄμεινον τὸ συνειδέναι σεαυτῷ ταύτην τὴν νίκην νενικηκότι.

35. Ὅταν τι διαγνούς, ὅτι ποιητέον ἐστί, ποιῇς, μηδέποτε φύγῃς ὀφθῆναι πράσσων αὐτό, κἂν ἀλλοῖόν τι μέλλωσιν οἱ πολλοὶ περὶ αὐτοῦ ὑπολαμβάνειν. εἰ μὲν γὰρ οὐκ ὀρθῶς ποιεῖς, αὐτὸ τὸ ἔργον φεῦγε· εἰ δὲ ὀρθῶς, τί φοβῇ τοὺς ἐπιπλήξοντας οὐκ ὀρθῶς;

34. *Quando apreenderes pela inteligência uma ideia de algum prazer*,[111] guarda-te, como no caso de outras ideias, para não seres levado por ela; aguarda algum tempo em relação à coisa, permitindo-te alguma demora. Na sequência, pensa em ambos os períodos de tempo, o momento em que gozarás o prazer e o momento posterior, uma vez findo o gozo, no qual, mudando de opinião, te arrependerás e te condenarás; e opõe a esses dois momentos o quanto experimentarás de alegria e autoaprovação se abrires mão disso. Entretanto, caso surja uma ocasião propícia para partires para a ação, acautela-te para não seres vencido por sua doçura, por ser agradável e por sua sedução; opõe a isso o pensamento de quão preferível é estar consciente de que conquistaste uma vitória nessa situação.

35. Quando ages após haveres decidido que deves agir, nunca te esquives na tentativa de ocultar dos olhos alheios a tua ação, ainda que a maioria das pessoas venha provavelmente a considerar desfavoravelmente a tua ação. *Mas se efetivamente o que fazes não é correto esquiva-te da própria ação; se, porém, é correto, por que temer aqueles que não estão corretos na sua reprovação?*[112]

---

111. ...Ὅταν ἡδονῆς τινὸς φαντασίαν λάβῃς, ... (...*Hótan hedonês tinòs phantasían lábeis*, ...).
112. ...εἰ μὲν γὰρ οὐκ ὀρθῶς ποιεῖς, αὐτὸ τὸ ἔργον φεῦγε· εἰ δὲ ὀρθῶς, τί φοβῇ τοὺς ἐπιπλήξοντας οὐκ ὀρθῶς; ... (...*ei mèn gàr oyk orthôs poieîs, aytò tò érgon pheŷge· ei dè orthôs, tí phobêi toỳs epipléxontas oyk orthôs;* ...).

36. Ὡς τὸ "ἡμέρα ἐστί" καὶ "νύξ ἐστι" πρὸς μὲν τὸ διεζευγμένον μεγάλην ἔχει ἀξίαν, πρὸς δὲ τὸ συμπεπλεγμένον ἀπαξίαν, οὕτω καὶ τὸ τὴν μείζω μερίδα ἐκλέξασθαι πρὸς μὲν τὸ σῶμα ἐχέτω ἀξίαν, πρὸς δὲ τὸ κοινωνικὸν ἐν ἑστιάσει, οἷον δεῖ, φυλάξαι, ἀπαξίαν ἔχει. ὅταν οὖν συνεσθίῃς ἑτέρῳ, μέμνησο, μὴ μόνον τὴν πρὸς τὸ σῶμα ἀξίαν τῶν παρακειμένων ὁρᾶν, ἀλλὰ καὶ τὴν πρὸς τὸν ἑστιάτορα αἰδῶ φυλάξαι.

37. Ἐὰν ὑπὲρ δύναμιν ἀναλάβῃς τι πρόσωπον, καὶ ἐν τούτῳ ἠσχημόνησας καί, ὃ ἠδύνασο ἐκπληρῶσαι, παρέλιπες.

36. Tal como as afirmações "*É dia*" e "*É noite*"[113] têm grande valor separadamente, mas são destituídas de valor se forem unidas, de idêntico modo tomar a maior porção num jantar tem valor para o corpo, porém não tem nenhum do prisma da vida em comunidade. Assim, quando estiveres com outra pessoa num banquete, lembra de não te limitares a considerar o valor do que é servido unicamente do ponto de vista do teu corpo, mas também naquele de preservar o respeito por quem oferece o banquete.

37. Se assumes um papel além de tua capacidade, *tanto te desonrarás nisso*[114] quanto deixarás de lado o papel que poderias desempenhar.

---

113. ..."ἡμέρα ἐστί" καὶ "νύξ ἐστι"... (..."*heméra estí*" *kaì* "*nýx esti*"...).
114. ...καὶ ἐν τούτῳ ᾐσχημόνησας... (...*kaì en toýtoi eskhemónesas*...), ou ...não só te envergonharás com isso... .

38. Ἐν τῷ περιπατεῖν καθάπερ προσέχεις, μὴ ἐπιβῇς ἥλῳ ἢ στρέψῃς τὸν πόδασου, οὕτω πρόσεχε, μὴ καὶ τὸ ἡγεμονικὸν βλάψῃς τὸ σεαυτοῦ. καὶ τοῦτο ἐὰν ἐφ' ἑκάστου ἔργου παραφυλάσσωμεν, ἀσφαλέστερον ἁψόμεθα τοῦ ἔργου.

39. Μέτρον κτήσεως τὸ σῶμα ἑκάστῳ ὡς ὁ ποὺς ὑποδήματος. ἐὰν μὲν οὖν ἐπὶ τούτου στῇς, φυλάξεις τὸ μέτρον· ἐὰν δὲ ὑπερβῇς, ὡς κατὰ κρημνοῦ λοιπὸν ἀνάγκη φέρεσθαι· καθάπερ καὶ ἐπὶ τοῦ ὑποδήματος, ἐὰν ὑπὲρ τὸν πόδα ὑπερβῇς, γίνεται κατάχρυσον ὑπόδημα, εἶτα πορφυροῦν, κεντητόν. τοῦ γὰρ ἅπαξ ὑπὲρ τὸ μέτρον ὅρος οὐθείς ἐστιν.

38. Tal como ao caminhar ficas atento para não pisar num prego ou torcer teu pé, não deixes de ficar atento também no sentido de não ferir tua faculdade condutora. Se em cada uma de nossas ações conservarmos essa atenção, disporemos de mais segurança ao executá-la.

39. O corpo de cada um constitui a medida para o que ele deve possuir, tal como o pé em relação ao calçado. Portanto, se adotares esse padrão, manterás a medida; se, porém, fores além dele, será inevitável que acabes por seres arrastado para um *precipício*[115]. Também no que toca ao calçado, uma vez que vais além da medida do pé, começarás por adquirir um calçado ornado de ouro, depois de púrpura, depois bordado. Com efeito, uma vez se tenha excedido a medida, não há mais limite.

---

115. ...κρημνοῦ... (*kremnoŷ*).

40. Αἱ γυναῖκες εὐθὺς ἀπὸ τεσσαρεσκαίδεκα ἐτῶν ὑπὸ τῶν ἀνδρῶν κυρίαι καλοῦνται. τοιγαροῦν ὁρῶσαι ὅτι ἄλλο μὲν οὐδὲν αὐταῖς πρόσεστι, μόνον δὲ συγκοιμῶνται τοῖς ἀνδράσι, ἄρχονται καλλωπίζεσθαι καὶ ἐν τούτῳ πάσας ἔχειν τὰς ἐλπίδας. προσέχειν οὖν ἄξιον, ἵνα αἴσθωνται, διότι ἐπ' οὐδενὶ ἄλλῳ τιμῶνται ἢ τῷ κόσμιαι φαίνεσθαι καὶ αἰδήμονες.

40. Logo que completam catorze anos, as mulheres são chamadas pelos homens de senhoras.[116] Eis porque, constatando que nada lhes resta senão *compartilhar dos leitos dos homens*[117], principiam a se embelezar, depositando todas as suas esperanças nisso. Valeria, portanto, a pena levá-las a compreender que a única coisa que pode lhes trazer honra é manifestarem decência e recato.[118]

---

116. ...Αἱ γυναῖκες εὐθὺς ἀπὸ τεσσαρεσκαίδεκα ἐτῶν ὑπὸ τῶν ἀνδρῶν κυρίαι καλοῦνται. ... (...*Hai gynaîkes eythỳs apò tessareskaídeka etôn hypò tôn andrôn kyríai kaloŷntai.* ...).
117. ...συγκοιμῶνται τοῖς ἀνδράσι, ... (...*sygkoimôntai toîs andrási*, ...).
118. A assertiva de Epicteto contra a vaidade feminina e em prol de sua moralidade é construtiva e oportuna, mas ele, como grego e, sobretudo, como homem, ainda se mantém refém de uma certa misoginia herdada de muitos séculos de cultura helênica. Nunca é demais lembrar ao leitor e, especialmente à *leitora,* que na mais desenvolvida e pujante cidade-Estado da antiguidade ocidental, Atenas, sede indiscutível das melhores instituições da civilização ocidental, a mulher não era cidadã e não gozava de direitos políticos, a ela estando interditas, inclusive, várias atividades fundamentais na sociedade, desde votar na Assembleia popular (ἐκκλησία [*ekklesía*]) até participar das competições esportivas, só para citar dois exemplos. Estava praticamente reduzida à administração doméstica (οἰκονομία [*oikonomía*]) e à função de reprodutora, ocupando uma condição mais próxima daquela do escravo e do estrangeiro, do que daquela do homem, o cidadão ateniense. A despeito da intensa, múltipla e salutar influência que a civilização grega exerceu sobre a romana em diversos aspectos, é de se notar, ao menos durante a República, que o *status* das mulheres (pelo menos daquelas pertencentes ao patriciado) melhorou comparativamente à situação da mulher grega. Apesar da continuidade do patriarcado, muitas mulheres, mesmo apenas como coadjuvantes, contribuíram largamente para o crescimento institucional e cultural (não apenas político e econômico) da civilização romana. Já no período de transição entre a República e o Império, destacam-se figuras femininas da envergadura das chamadas "mulheres de César", especialmente sua filha, Júlia, suas esposas, Cornélia e Calpúrnia, e sua amante egípcia, Cleópatra. A fase do Império, apesar do declínio gradual dos costumes e valores romanos (principalmente após a morte de Augusto em 14 d.C.), verá o surgimento de mulheres incisivamente atuantes na política, ainda que com resultados por vezes desastrosos, como no caso de Messalina. Se pensarmos que foi somente em 1920 que o sufrágio feminino foi aprovado nos Estados Unidos (apenas *cem* anos atrás!), teremos que concluir que a misoginia ainda está patentemente presente

41. Ἀφυΐας σημεῖον τὸ ἐνδιατρίβειν τοῖς περὶ τὸ σῶμα, οἷον ἐπὶ πολὺ γυμνάζεσθαι, ἐπὶ πολὺ ἐσθίειν, ἐπὶ πολὺ πίνειν, ἐπὶ πολὺ ἀποπατεῖν, ὀχεύειν. ἀλλὰ ταῦτα μὲν ἐν παρέργῳ ποιητέον· περὶ δὲ τὴν γνώμην ἡ πᾶσα ἔστω ἐπιστροφή.

42. Ὅταν σέ τις κακῶς ποιῇ ἢ κακῶς λέγῃ, μέμνησο, ὅτι καθήκειν αὐτῷ οἰόμενος ποιεῖ ἢ λέγει. οὐχ οἷόν τε οὖν ἀκολουθεῖν αὐτὸν τῷ σοὶ φαινομένῳ, ἀλλὰ τῷ ἑαυτῷ, ὥστε, εἰ κακῶς αὐτῷ φαίνεται, ἐκεῖνος βλάπτεται, ὅστις καὶ ἐξηπάτηται. καὶ γὰρ τὸ ἀληθὲς συμπεπλεγμένον ἄν τις ὑπολάβῃ ψεῦδος, οὐ τὸ συμπεπλεγμένον βέβλαπται, ἀλλ' ὁ ἐξαπατηθείς. ἀπὸ τούτων οὖν ὁρμώμενος πρᾴως ἕξεις πρὸς τὸν λοιδοροῦντα. ἐπιφθέγγου γὰρ ἐφ' ἑκάστῳ ὅτι "ἔδοξεν αὐτῷ".

41. Constitui um sinal de incapacidade natural ocupar-se insistentemente daquilo que diz respeito ao corpo, como fazer exercícios físicos em demasia, comer muito, beber muito, evacuar muito, *copular*[119] muito. Deve-se, pelo contrário, realizar essas coisas como coisas secundárias, dirigindo-se toda a atenção para as coisas da inteligência.

42. *Toda vez que alguém te atingir com uma má ação ou pela maledicência, lembra-te que ele assim age ou fala por supor que é seu dever.*[120] Sendo assim, é para ele impossível concordar com o que a ti parece bom, ficando, em lugar disso, com o que lhe parece, de modo que se o que a ele parece bom constitui engano ou algo mau, o prejudicado será quem foi enganado. Com efeito, inclusive se alguém julga falsa uma proposição composta que é verdadeira, isto não prejudica a proposição composta, mas sim *aquele que se enganou*[121]. Assim, se partires desse ponto de vista, agirás com brandura com quem te insulta. Efetivamente, seria o caso de declarares em todas as ocasiões que "Esse era o seu parecer".

---

no mundo, inclusive no ocidental, embora a mulher, incontestavelmente, tenha avançado em certas áreas da sociedade.
119. ...ὀχεύειν... (*okheýein*), a expressão é pejorativa se aplicável ao ser humano, sugerindo relações sexuais puramente animalescas ou aquelas de pessoas debochadas.
120. ...Ὅταν σέ τις κακῶς ποιῇ ἢ κακῶς λέγῃ, μέμνησο, ὅτι καθήκειν αὐτῷ οἰόμενος ποιεῖ ἢ λέγει. ... (...*Hótan sé tis kakôs poiêi è kakôs légei, mémneso, hóti kathékein aytôi oiómenos poieî è légei.* ...). Uma tradução próxima à literalidade poderia ser: ...Quando alguém te faz o mal ou fala mal de ti, lembra que ele o faz ou o fala por pensar que isso cabe a ele. ... .
121. ...ὁ ἐξαπατηθείς... (*ho exapatetheís*).

43. Πᾶν πρᾶγμα δύο ἔχει λαβάς, τὴν μὲν φορητήν, τὴν δὲ ἀφόρητον. ὁ ἀδελφὸς ἐὰν ἀδικῇ, ἐντεῦθεν αὐτὸ μὴ λάμβανε, ὅτι ἀδικεῖ (αὕτη γὰρ ἡ λαβή ἐστιν αὐτοῦ οὐ φορητή), ἀλλὰ ἐκεῖθεν μᾶλλον ὅτι ἀδελφός, ὅτι σύντροφος, καὶ λήψῃ αὐτὸ καθ' ὃ φορητόν.

44. Οὗτοι οἱ λόγοι ἀσύνακτοι· "ἐγώ σου πλουσιώτερός εἰμι, ἐγώ σου ἄρα κρείττων." "ἐγώ σου λογιώτερος, ἐγώ σου ἄρα κρείσσων." ἐκεῖνοι δὲ μᾶλλον συνακτικοί· "ἐγώ σου πλουσιώτερός εἰμι, ἡ ἐμὴ ἄρα κτῆσις τῆς σῆς κρείσσων." "ἐγώ σου λογιώτερος, ἡ ἐμὴ ἄρα λέξις τῆς σῆς κρείττων." σὺ δέ γε οὔτε κτῆσις εἶ οὔτε λέξις.

45. Λούεταί τις ταχέως· μὴ εἴπῃς ὅτι κακῶς, ἀλλ' ὅτι ταχέως. πίνει τις πολὺν οἶνον· μὴ εἴπῃς ὅτι κακῶς, ἀλλ' ὅτι πολυν. πρὶν γὰρ διαγνῶναι τὸ δόγμα, πόθεν οἶσθα εἰ κακῶς; οὕτως οὐ συμβήσεταί σοι ἄλλων μὲν φαντασίας καταληπτικὰς λαμβάνειν, ἄλλοις δὲ συγκατατίθεσθαι.

43. Toda coisa tem duas *asas*,[122] sendo que por meio de uma delas se pode carregá-la, enquanto que pela outra não se pode carregá-la. Se teu irmão é injusto, não tomes isso pela asa de sua ação injusta (pois esta é a asa pela qual não se pode carregar a coisa), mas, em lugar disso, pela outra, que é o teu irmão, com quem foste criado junto, e assim estarás empregando a asa que permite que se carregue a coisa.[123]

44. Estes raciocínios são *incoerentes*:[124] "Sou mais rico do que tu, portanto sou superior a ti", "Sou mais eloquente do que tu, portanto sou superior a ti". Estes, todavia, são mais conclusivos: "Sou mais rico do que tu, portanto minhas posses são superiores às tuas", "Sou mais eloquente do que tu, portanto meu discurso é superior ao teu". *Mas tu não és nem posses nem discurso.*[125]

45. Alguém toma banho depressa: não digas que o faz mal, mas que o faz depressa. Alguém bebe muito vinho: não digas que bebe mal, mas que o faz muito. Com efeito, até discernires o que ele pensa a respeito, como sabes que o que ele faz é mau? A conclusão disso é que não captas ideias evidentes de certas coisas, mas dás assentimento a outras.

---

122. ...λαβάς, ... (*labás*), ou os apêndices pelos quais se segura ou se toma as coisas, como além de asas, cabos, alças etc.
123. Epicteto faz uma analogia com uma coisa prosaica. Se meu irmão é injusto comigo, não devo enfrentar esse problema focando a sua ação injusta, que constitui apenas um ato eventual de meu irmão, mas que não é meu irmão. Para lidar com esse assunto desagradável, devo me ater, sim, ao meu irmão, um ser humano que me é caro e que é capaz de diversas ações, não só ações injustas. O recomendável, então, é procurá-lo em busca de um entendimento mútuo.
124. ...ἀσύνακτοι... (*asýnaktoi*), isto é, incapazes de conduzir a uma conclusão, ou que conduzem a uma conclusão falsa.
125. ...σὺ δέ γε οὔτε κτῆσις εἶ οὔτε λέξις. ... (*...sỳ dé ge oýte ktêsis eî oýte léxis. ...*).

46. Μηδαμοῦ σεαυτὸν εἴπῃς φιλόσοφον μηδὲ λάλει τὸ πολὺ ἐν ἰδιώταις περὶ τῶν θεωρημάτων, ἀλλὰ ποίει τὸ ἀπὸ τῶν θεωρημάτων· οἷον ἐν συμποσίῳ μὴ λέγε, πῶς δεῖ ἐσθίειν, ἀλλ' ἔσθιε, ὡς δεῖ. μέμνησο γάρ, ὅτι οὕτως ἀφῃρήκει πανταχόθεν Σωκράτης τὸ ἐπιδεικτικόν, ὥστε ἤρχοντο πρὸς αὐτὸν βουλόμενοι φιλοσόφοις ὑπ' αὐτοῦ συσταθῆναι, κἀκεῖνος ἀπῆγεν αὐτούς. οὕτως ἠνείχετο παρορώμενος. κἂν περὶ θεωρήματός τινος ἐν ἰδιώταις ἐμπίπτῃ λόγος, σιώπα τὸ πολύ· μέγας γὰρ ὁ κίνδυνος εὐθὺς ἐξεμέσαι, ὃ οὐκ ἔπεψας. καὶ ὅταν εἴπῃ σοί τις, ὅτι οὐδὲν οἶσθα, καὶ σὺ μὴ δηχθῇς, τότε ἴσθι, ὅτι ἄρχῃ τοῦ ἔργου. ἐπεὶ καὶ τὰ πρόβατα οὐ χόρτον φέροντα τοῖς ποιμέσιν ἐπιδεικνύει πόσον ἔφαγεν, ἀλλὰ τὴν νομὴν ἔσω πέψαντα ἔρια ἔξω φέρει καὶ γάλα· καὶ σὺ τοίνυν μὴ τὰ θεωρήματα τοῖς ἰδιώταις ἐπιδείκνυε, ἀλλ' ἀπ' αὐτῶν πεφθέντων τὰ ἔργα.

46. Nunca digas que és filósofo nem fales frequentemente sobre *princípios filosóficos*[126] com pessoas vulgares, mas aja de acordo com tais princípios. Por exemplo, num banquete não digas de que forma se deve comer, mas come da forma que se deve. Lembra-te, a propósito, que Sócrates se despojou a tal ponto e tão radicalmente da postura exibicionista, que as pessoas o procuravam quando queriam que ele as apresentasse a filósofos, e ele as conduzia a eles. Ele era capaz de não chamar a atenção para si.[127] Se acontecer de numa conversação entre pessoas ordinárias algum princípio filosófico passar a ser o tema da conversação, conserva-te calado o maior tempo possível, pois correrás um grande risco de vomitares imediatamente aquilo que não digeriste. E quando um indivíduo diz que não sabes nada e não te feres com isso, saiba que, neste momento, deste início à ocupação [filosófica]. *As ovelhas não trazem aos pastores sua forragem para exibir quanto comeram; antes, a digerem interiormente, e externamente produzem lã e leite.*[128] Tu também não exibas princípios filosóficos na presença de pessoas vulgares; em lugar disso, mostra--lhes os produtos daquilo que digeriste.

---

126. ...θεωρημάτων... (*theoremáton*).
127. A ideia é singela, mas convincente: em matéria de princípios filosóficos desta ou daquela doutrina, o importante é praticá-los, e não apregoá-los num exibicionismo estéril para a multidão. O exemplo puro e simples é mais eficaz do que as palavras. Quanto a Sócrates, Epicteto alude mais particularmente ao diálogo *Protágoras*, de Platão, que mostra Sócrates conduzindo alguns de seus amigos a uma reunião de sofistas famosos, da qual ele participará, porém sem fazer de si o foco das atenções.
128. Bela passagem que expressa incisivamente o pragmatismo estoico de Epicteto: ...ἐπεὶ καὶ τὰ πρόβατα οὐ χόρτον φέροντα τοῖς ποιμέσιν ἐπιδεικνύει πόσον ἔφαγεν, ἀλλὰ τὴν νομὴν ἔσω πέψαντα ἔρια ἔξω φέρει καὶ γάλα· ... (...*epeì kaì tà próbata oy khórton phéronta toîs poimésin epideiknýei póson éphagen, allà tèn nomèn éso pépsanta éria éxo phérei kaì gála·* ...).

47. Ὅταν εὐτελῶς ἡρμοσμένος ᾖς κατὰ τὸ σῶμα, μὴ καλλωπίζου ἐπὶ τούτῳ μηδ' ἂν ὕδωρ πίνῃς, ἐκ πάσης ἀφορμῆς λέγε, ὅτι ὕδωρ πίνεις. κἂν ἀσκῆσαί ποτε πρὸς πόνον θέλῃς, σαυτῷ καὶ μὴ τοῖς ἔξω· μὴ τοὺς ἀνδριάντας περιλάμβανε· ἀλλὰ διψῶν ποτὲ σφοδρῶς ἐπίσπασαι ψυχροῦ ὕδατος καὶ ἔκπτυσον καὶ μηδενὶ εἴπῃς.

48. Ἰδιώτου στάσις καὶ χαρακτήρ· οὐδέποτε ἐξ ἑαυτοῦ προσδοκᾷ ὠφέλειαν ἢ βλάβην, ἀλλ' ἀπὸ τῶν ἔξω. φιλοσόφου στάσις καὶ χαρακτήρ· πᾶσαν ὠφέλειαν καὶ βλάβην ἐξ ἑαυτοῦ προσδοκᾷ.

47. Quando, no que toca às necessidades do corpo, te ajustas com simplicidade, não te gabes disso; tampouco, se bebes [somente] água, não faças disso um pretexto para ficar repetindo que bebes [somente] água. Se queres impor a ti duros exercícios físicos no feitio de um atleta, empreende tal coisa para ti e não para que quem está de fora o observe. *Não abraces estátuas*;[129] pelo contrário, toda vez que estiveres extremamente sedento, leva um pouco de água fria à boca para depois cuspi-la, isto sem comunicá-lo a ninguém.

48. Postura e caráter da pessoa vulgar: jamais espera um benefício ou um dano de si mesmo, mas sim de fonte externa. Postura e caráter do filósofo: ele espera todo benefício e dano de si mesmo.

---

129. ...μὴ τοὺς ἀνδριάντας περιλάμβανε· ... (...*mè toỳs andriántas perilámbane*· ...). Provável alusão (em tom crítico) a Diógenes de Sínope, o Cão, que teria (com o objetivo de exibir sua capacidade e determinação de suportar o frio intenso do inverno) abraçado algumas estátuas de mármore dos deuses.

Σημεῖα προκόπτοντος· οὐδένα ψέγει, οὐδένα ἐπαινεῖ, οὐδένα μέμφεται, οὐδενὶ ἐγκαλεῖ, οὐδὲν περὶ ἑαυτοῦ λέγει ὡς ὄντος τινὸς ἢ εἰδότος τι. ὅταν ἐμποδισθῇ τι ἢ κωλυθῇ, ἑαυτῷ ἐγκαλεῖ. κἄν τις αὐτὸν ἐπαινῇ, καταγελᾷ τοῦ ἐπαινοῦντος αὐτὸς παρ' ἑαυτῷ· κἄν ψέγῃ, οὐκ ἀπολογεῖται. περίεισι δὲ καθάπερ οἱ ἄρρωστοι, εὐλαβούμενός τι κινῆσαι τῶν καθισταμένων, πρὶν πῆξιν λαβεῖν. ὄρεξιν ἅπασαν ἦρκεν ἐξ ἑαυτοῦ· τὴν δ' ἔκκλισιν εἰς μόνα τὰ παρὰ φύσιν τῶν ἐφ' ἡμῖν μετατέθεικεν. ὁρμῇ πρὸς ἅπαντα ἀνειμένῃ χρῆται. ἂν ἠλίθιος ἢ ἀμαθὴς δοκῇ, οὐ πεφρόντικεν. ἑνί τε λόγῳ, ὡς ἐχθρὸν ἑαυτὸν παραφυλάσσει καὶ ἐπίβουλον.

Sinais do indivíduo que progride: não censura ninguém, não elogia ninguém, não culpa ninguém, não acusa ninguém, nada diz de si mesmo como alguém que é alguma coisa ou sabe alguma coisa. Quando é barrado ou tolhido, dirige a acusação a si mesmo. Quando é elogiado, ele ri consigo mesmo da pessoa que o elogia; diante de uma censura, não se defende. Ele circula como *os enfermos*[130], tomando precaução para não abalar aquilo de que está se recuperando até que adquira firmeza. Eliminou de si todo desejo; transferiu aquilo que se trata de evitar exclusivamente para aquelas coisas contrárias à natureza que estão subordinadas a nós. Em tudo se serve de um impulso destituído de tensão. Se é tido como tolo ou ignorante, não dá importância a isso. *Em síntese, ele vigia a si mesmo como um inimigo insidioso.*[131]

---

130. ...οἱ ἄρρωστοι, ... (*hoi árrostoi,*), ou *os enfermiços* (como aqueles que padecem de certas doenças crônicas), indivíduos de constituição física precária. Além disso, sobretudo no pensamento estoico, esse termo denota também aqueles que sofrem de uma contínua fraqueza, não só física, mas também moral, que é, em última instância, causada por uma falta de cultivo da filosofia.
131. ...ἑνί τε λόγῳ, ὡς ἐχθρὸν ἑαυτὸν παραφυλάσσει καὶ ἐπίβουλον. ... (...*heni te lógoi, hos ekhthròn heaytòn paraphylássei kaì epíboylon.* ...).

49. Ὅταν τις ἐπὶ τῷ νοεῖν καὶ ἐξηγεῖσθαι δύνασθαι τὰ Χρυσίππου βιβλία σεμνύνηται, λέγε αὐτὸς πρὸς ἑαυτὸν ὅτι "εἰ μὴ Χρύσιππος ἀσαφῶς ἐγεγράφει, οὐδὲν ἂν εἶχεν οὗτος ἐφ᾽ ᾧ ἐσεμνύνετο".

Ἐγὼ δὲ τί βούλομαι; καταμαθεῖν τὴν φύσιν καὶ ταύτῃ ἕπεσθαι. ζητῶ οὖν, τίς ἐστιν ὁ ἐξηγούμενος· καὶ ἀκούσας, ὅτι Χρύσιππος, ἔρχομαι πρὸς αὐτόν. ἀλλ᾽ οὐ νοῶ τὰ γεγραμμένα· ζητῶ οὖν τὸν ἐξηγησόμενον. καὶ μέχρι τούτων οὔπω σεμνὸν οὐδέν. ὅταν δὲ εὕρω τὸν ἐξηγούμενον, ἀπολείπεται χρῆσθαι τοῖς παρηγγελμένοις· τοῦτο αὐτὸ μόνον σεμνόν ἐστιν. ἂν δὲ αὐτὸ τοῦτο τὸ ἐξηγεῖσθαι θαυμάσω, τί ἄλλο ἢ γραμματικὸς ἀπετελέσθην ἀντὶ φιλοσόφου; πλήν γε δὴ ὅτι ἀντὶ Ὁμήρου Χρύσιππον ἐξηγούμενος. μᾶλλον οὖν, ὅταν τις εἴπῃ μοι "ἐπανάγνωθί μοι Χρύσιππον", ἐρυθριῶ, ὅταν μὴ δύνωμαι ὅμοια τὰ ἔργα καὶ σύμφωνα ἐπιδεικνύειν τοῖς λόγοις.

50. Ὅσα προτίθεται, τούτοις ὡς νόμοις, ὡς ἀσεβήσων, ἂν παραβῇς, ἔμμενε. ὅ τι δ᾽ ἂν ἐρῇ τις περὶ σοῦ, μὴ ἐπιστρέφου· τοῦτο γὰρ οὐκ ἔτ᾽ ἐστὶ σόν.

49. Quando alguém se gaba de entender e ser capaz de explicar *os livros de Crísipo*[132], diz dirigindo-te a ti mesmo que "se Crísipo não tivesse escrito de maneira obscura, essa pessoa nada teria para se gabar".
Mas o que quero? Instruir-me sobre a natureza e a seguir. Consequentemente, busco alguém que a explique; e como soube que Crísipo o faz, recorro a ele. Todavia, não entendo os seus escritos, de modo que procuro alguém que os entenda. Até esse estágio, nada há para se gabar. Mas quando descubro aquele capaz de explicá-los, interpretá-los, tudo o que resta é empregar seus preceitos. Somente isso é de se gabar. Se, entretanto, o objeto de minha admiração é a explicação ou interpretação, o que fiz salvo deixar de ser filósofo para ser gramático? Isso exceto pelo fato de explicar Crísipo de preferência a Homero[133]. Portanto, quando alguém me diz *"Lê para mim Crísipo"*[134], eu enrubesço se não puder mostrar a ele as ações que correspondem e se harmonizam com as palavras de Crísipo.

50. Não importa quais sejam os princípios que a ti são oferecidos, obedece-os como se fossem leis, no pensamento de que seria para ti um ato de impiedade infringi-los. Não dá atenção ao que dizem sobre ti, pois isso não está sob teu controle.

---

132. ...τὰ Χρυσίππου βιβλία... (...*tà Khrysíppoy biblía*...). Crísipo de Soles (ou de Tarso) foi o terceiro diretor da escola estoica (sucessor de Cleanto) e de fato autor de muitos livros que, a propósito, não chegaram a nós. Nasceu em 280 a.C. e morreu em 210 a.C.
133. Poeta épico (floresceu em torno de 850 a.C.), autor da *Ilíada* (poema que tem como tema a guerra de Troia) e da *Odisseia*, que narra as aventuras e tribulações do herói grego Odisseu (Ulisses para os latinos) no seu retorno a Ítaca, após a destruição de Troia.
134. ...ἐπανάγνωθί μοι Χρύσιππον, ... (...*epanágnothí moi Khrýsippon*, ...), embora a ideia seja de explicar ou interpretar.

51. Εἰς ποῖον ἔτι χρόνον ἀναβάλλῃ τὸ τῶν βελτίστων ἀξιοῦν σεαυτὸν καὶ ἐν μηδενὶ παραβαίνειν τὸν διαιροῦντα λόγον; παρείληφας τὰ θεωρήματα, οἷς ἔδει σε συμβάλλειν, καὶ συμβέβληκας. ποῖον οὖν ἔτι διδάσκαλον προσδοκᾷς, ἵνα εἰς ἐκεῖνον ὑπερθῇ τὴν ἐπανόρθωσιν ποιῆσαι τὴν σεαυτοῦ; οὐκ ἔτι εἶ μειράκιον, ἀλλὰ ἀνὴρ ἤδη τέλειος. ἂν νῦν ἀμελήσῃς καὶ ῥᾳθυμήσῃς καὶ ἀεὶ προθέσεις ἐκ προέσεως ποιῇ καὶ ἡμέρας ἄλλας ἐπ' ἄλλαις ὁρίζῃς, μεθ' ἃς προσέξεις σεαυτῷ, λήσεις σεαυτὸν οὐ προκόψας, ἀλλ' ἰδιώτης διατελέσεις καὶ ζῶν καὶ ἀποθνῄσκων. ἤδη οὖν ἀξίωσον σεαυτὸν βιοῦν ὡς τέλειον καὶ προκόπτοντα· καὶ πᾶν τὸ βέλτιστον φαινόμενον ἔστω σοι νόμος ἀπαράβατος. κἂν ἐπίπονόν τι ἢ ἡδὺ ἢ ἔνδοξον ἢ ἄδοξον προσάγηται, μέμνησο, ὅτι νῦν ὁ ἀγὼν καὶ ἤδη πάρεστι τὰ Ὀλύμπια καὶ οὐκ ἔστιν ἀναβάλεσθαι οὐκέτι καὶ ὅτι παρὰ μίαν ἡμέραν καὶ ἓν πρᾶγμα καὶ ἀπόλλυται προκοπὴ καὶ σῴζεται. Σωκράτης οὕτως ἀπετελέσθη, ἐπὶ πάντων τῶν προσαγομένων αὐτῷ μηδενὶ ἄλλῳ προσέχων ἢ τῷ λόγῳ. σὺ δὲ εἰ καὶ μήπω εἶ Σωκράτης, ὡς Σωκράτης γε εἶναι βουλόμενος ὀφείλεις βιοῦν.

51. Por quanto tempo irás adiar o fato de te considerares digno *das melhores coisas*[135] e em nada violar o que é determinado pela razão? Recebeste os princípios filosóficos que deves aceitar, e tu os aceitaste. Assim, qual é o mestre que ainda aguardas a ponto de protelares o teu aprimoramento? Não és mais um adolescente, mas já um homem plenamente adulto. *Se agora és negligente e despreocupado, e sempre faz suceder uma demora a outra demora*[136], e transferes de um dia para outro o cuidado de dares atenção a ti mesmo, sem perceber que não fazes nenhum progresso, o resultado é continuares a ser, na vida e na morte, um homem vulgar. Portanto, digna-te desde já a viver *como homem completo*[137] e que progride; e que tudo o que a ti se revela como o melhor seja para ti *lei inviolável*[138]. E se diante de ti se apresentar algo laborioso ou agradável, gerador de grande prestígio ou não gerador de nenhum prestígio, lembra-te que agora é o momento de ingressares na arena, que tens diante de ti os Jogos Olímpicos, que não podes adiar mais e que há um único dia e uma única coisa a decidirem a condenação do progresso ou a sua salvação. Foi assim que Sócrates veio a ser Sócrates, isto é, concentrando sua atenção, diante de tudo aquilo com que topava, exclusivamente na razão.[139] Mas se tu não és ainda um Sócrates, ao menos deves viver como uma pessoa que quer ser um Sócrates.

---

135. ...τῶν βελτίστων... (*tôn beltíston*).
136. ...ἂν νῦν ἀμελήσῃς καὶ ῥᾳθυμήσῃς καὶ ἀεὶ προθέσεις ἐκ προθέσεως ποιῇ... (...*àn nŷn ameléseis kaì rhaithyméseis kaì aeì prothéseis ek prothéseos poiêi*...). Mas alertamos o leitor que na tradução, afastando-nos excepcionalmente do texto de Schweighäuser, substituímos, na esteira de eminentes helenistas, ...προθέσεις ἐκ προθέσεως... por ...ὑπερθέσεις ἐξ ὑπερθέσεως... (...*hyperthéseis ex hypertheseos*...). Essa alteração, baseada em outro manuscrito, evidentemente proporciona maior clareza ao texto. Todavia, a noção central parece ser a mesma: não devemos demorar demais num projeto (πρόθεσις [*próthesis*]) adiando a ação que corresponde a ele.
137. ...ὡς τέλειον... (*hos téleion*).
138. ...νόμος ἀπαράβατος. ... (...*nómos aparábatos*. ...).
139. Epicteto evoca o diálogo *Críton* (46b), de Platão, no qual Sócrates, diante da insistência de Críton (seu grande amigo) no que dizia respeito a um plano para

52. Ὁ πρῶτος καὶ ἀναγκαιότατος τόπος ἐστὶν ἐν φιλοσοφίᾳ ὁ τῆς χρήσεως τῶν δογμάτων, οἷον τὸ μὴ ψεύδεσθαι· ὁ δεύτερος ὁ τῶν ἀποδείξεων, οἷον πόθεν ὅτι οὐ δεῖ ψεύδεσθαι; τρίτος ὁ αὐτῶν τούτων βεβαιωτικὸς καὶ διαρθρωτικός, οἷον πόθεν ὅτι τοῦτο ἀπόδειξις; τί γάρ ἐστιν ἀπόδειξις, τί ἀκολουθία, τί μάχη, τί ἀληθές, τί ψεῦδος; οὐκοῦν ὁ μὲν τρίτος τόπος ἀναγκαῖος διὰ τὸν δεύτερον, ὁ δὲ δεύτερος διὰ τὸν πρῶτον· ὁ δὲ ἀναγκαιότατος καὶ ὅπου ἀναπαύεσθαι δεῖ, ὁ πρῶτος. ἡμεῖς δὲ ἔμπαλιν ποιοῦμεν· ἐν γὰρ τῷ τρίτῳ τόπῳ διατρίβομεν καὶ περὶ ἐκεῖνόν ἐστιν ἡμῖν ἡ πᾶσα σπουδή· τοῦ δὲ πρώτου παντελῶς ἀμελοῦμεν. τοιγαροῦν ψευδόμεθα μέν, πῶς δὲ ἀποδείκνυται ὅτι οὐ δεῖ ψεύδεσθαι, πρόχειρον ἔχομεν.

52. A primeira parte e a mais necessária na filosofia é o emprego de seus princípios, por exemplo: *Não mintas*[140]; a segunda são as demonstrações, por exemplo: *Por que não se deve mentir?* A terceira parte é aquela que consolida e esclarece, por exemplo: *Por que é isso uma demonstração?* Afinal, o que é uma *demonstração*[141], o que é uma *consequência*[142], o que é uma *contradição*,[143] o que é *verdadeiro*[144], o que é *falso*[145]? Assim, a necessidade da terceira parte se impõe por causa da segunda; a da segunda, por causa da primeira; a mais necessária, porém, aquela sobre a qual devemos nos apoiar, é a primeira. O que fazemos, contudo, é o oposto; passamos o nosso tempo na terceira parte, e todo o nosso zelo é reservado a ela, ao passo que descuidamos completamente da primeira. Daí efetivamente mentirmos, mas termos à mão o que demonstra que não devemos mentir.[146]

---

sua fuga do cárcere de Atenas, opõe-se terminantemente alegando que não podia deixar de acatar, como sempre o fizera, a razão.
140. ...μὴ ψεύδεσθαι... (*mè pseýdesthai*).
141. ...ἀπόδειξις, ... (*apódeixis,*).
142. ...ἀκολουθία, ... (*akoloythía,*), consequência no âmbito da lógica, conformidade.
143. ...μάχη, ... (*mákhe,*).
144. ...ἀληθές, ... (*alethés,*).
145. ...ψεῦδος... (*pseŷdos*).
146. Ou, em outras palavras, em lugar de darmos primazia às ações que consubstanciam e se coadunam com nossos princípios, o que promove o nosso melhoramento, preferimos despender nosso tempo e nossas vidas teorizando inutilmente em torno desses princípios, os quais, tendo sido aceitos por nós, dispensam qualquer teorização ulterior, exigindo apenas que os coloquemos em prática. Epicteto, encaminhando a filosofia para a soberania da ética, repudia a filosofia tradicional, sediada sobretudo em Aristóteles, que reserva amplo espaço à especulação. É interessante observar como ele, *que, tal como Sócrates*, jamais despendeu qualquer tempo escrevendo tratados filosóficos, destaca um Sócrates pragmático, que não só emite princípios éticos, como também os pratica.

53. Ἐπὶ παντὸς πρόχειρα ἑκτέον ταῦτα· ἄγου δέ μ', ὦ Ζεῦ, καὶ σύ γ' ἡ Πεπρωμένη, ὅποι ποθ' ὑμῖν εἰμί διατεταγμένος· ὡς ἔψομαί γ' ἄοκνος· ἢν δέ γε μὴ θέλω, κακὸς γενόμενος, οὐδὲν ἧττον ἔψομαι.

"ὅστις δ' ἀνάγκῃ συγκεχώρηκεν καλῶς, σοφὸς παρ' ἡμῖν, καὶ τὰ θεῖ' ἐπίσταται."

"ἀλλ', ὦ Κρίτων, εἰ ταύτῃ τοῖς θεοῖς φίλον, ταύτῃ γενέσθω."

"ἐμὲ δὲ Ἄνυτος καὶ Μέλητος ἀποκτεῖναι μὲν δύνανται, βλάψαι δὲ οὔ."

53. Em todas as ocasiões, que possamos ter à mão as seguintes máximas:

"Conduz-me, ó Zeus, e tu, o Destino marcador,
ao lugar onde dispusestes que eu fosse;
eu vos seguirei sem tardar; mas se minha vontade fraquejar,
tornando-se má, nem por isso deixarei de vos seguir."[147]

"Aquele que acertadamente se associa à necessidade,
é para nós um sábio e conhece as coisas divinas."[148]

"Mas, Críton, se essa é a vontade dos deuses, que assim venha a ser."[149]

"Anito e Meleto podem me matar, porém não me ferir."[150]

---

147. Versos de Cleantes de Assos (331-233 a.C.), filósofo estoico. Não há aspas no original.
148. Fragmento (Nauck) de uma tragédia de Eurípides de Salamina (480-406 a.C.).
149. ..."ἀλλ', ὦ Κρίτων, εἰ ταύτῃ τοῖς θεοῖς φίλον, ταύτῃ γενέσθω."... ("*all', ô Kríton, ei taýtei toîs theoîs phílon, taýtei genéstho.*"). Epicteto cita Platão, *Críton* (43d), mas não é textual, fazendo ele uma ligeira alteração e uma exclusão. O texto exato é: ...Ἀλλ', ὦ Κρίτων, τυχῃ ἀγαθῇ. εἰ ταύτῃ τοῖς θεοῖς φίλον, ταύτῃ ἔστω. ... (...*All', ô Kríton, tykhei agathêi. ei taýtei toîs theoîs phílon, taýtei ésto.* ...), que traduzimos: ...Mas, Críton, *que a sorte seja boa. Se isso é caro aos deuses, que assim seja.* ... .
150. ..."ἐμὲ δὲ Ἄνυτος καὶ Μέλητος ἀποκτεῖναι μὲν δύνανται, βλάψαι δὲ οὔ."... (..."*emè dè Ánytos kaì Méletos apokteînai mèn dýnantai, blápsai dè oý.*"...). A citação não é textual (Platão, *Apologia de Sócrates*, 30c-d), mas ligeiramente alterada. O texto exato é: ...ἐμὲ μὲν γὰρ οὐδέν ἂν βλάψειεν οὔτε Μέλητος οὔτε Ἄνυτος· οὐδὲ γὰρ ἂν δύναιτο ... (...*emè mèn gàr oydèn àn blápseien oýte Méletos oýte Ánytos· oydè gàr àn dýnaito·* ...), que traduzimos: ...Com efeito, nem Meleto nem Anito me feririam, o que tampouco é possível... . Meleto e Anito foram dois dos três acusadores de Sócrates. Juntamente com Lícon haviam movido uma ação pública contra ele, a qual resultou no julgamento e na condenação à morte de Sócrates.

EPICTETO:
BREVES TRAÇOS BIOGRÁFICOS

Epicteto de Hierápolis (*c.* 50-*c.* 120 d.C.) nasceu escravo na Frígia, e no decorrer de muitos anos viveu nessa condição subalterna e servil sob o talão de um senhor cruel. Mas o jovem Epicteto já então praticava pessoalmente algumas das virtudes que viriam a constar como itens obrigatórios de sua doutrina ética futura, nomeadamente resignação, tolerância, paciência e fortaleza, o que possibilitou a preservação de sua dignidade durante todos esses anos, suportando a rudeza de um senhor que chegava a ser sádico.

Ora, quem não conhece *Os Miseráveis* de Victor Hugo? Nesse romance imortal, assistimos o insensível e obstinado inspetor Javert finalmente capitular, ainda que mergulhado na perplexidade e no desespero, diante da bondade e compreensão do ex-presidiário Jean Valjean.

De modo semelhante, o senhor e algoz de Epicteto, vencido pela constante e espontânea conduta amistosa e cordial daquele seu escravo *coxo*, num franco contraste com seu próprio comportamento, resolveu um dia libertá-lo. Foi nessa ocasião que Epicteto, em Roma, conheceu a filosofia estoica.

Em 89 d.C., Domiciano (imperador de 81 d.C. a 96 d.C., e que compõe com Calígula, Nero e Cômodo o elenco dos quatro piores imperadores romanos) decretou a expulsão dos filósofos de Roma e do restante da Itália. Epicteto, então, rumou para o Épiro, onde, em Nicópolis, sua serena eloquência associada ao exemplo de um gênero de vida simples e sóbrio (uma pobreza *digna*), atraiu para si um número imenso de discípulos, alguns deles jovens entusiastas.

Epicteto não constituiu família nem deixou descendentes, e a data de sua morte, como a de seu nascimento, é imprecisa.

Edson Bini

Este livro foi impresso pela Gráfica Piffer Print
nas fontes Minion Pro, Roman SD e Times New Roman
sobre papel Pólen Bold 90 g/m²
para a Edipro.